O VÍCIO DE AGRADAR A TODOS

O VÍCIO DE AGRADAR A TODOS

Liberte-se da Necessidade de Aprovação

JOYCE MEYER

1ª. Edição

Belo Horizonte

Edição publicada mediante acordo com FaithWords, New York, New York. Todos os direitos reservados.

Diretor
Lester Bello

Autora
Joyce Meyer

Título Original
Approval Addction

Tradução
Idiomas e Cia, por Maria Lucia Godde Cortez

Revisão
Idiomas e Cia, por Ana Carla Lacerda

Diagramação
Julio Fado
Ronald Machado (Direção de arte)

Design capa (adaptação)
Fernando Rezende
Ronald Machado (Direção de arte)

Impressão e Acabamento
Promove Artes Gráficas

Rua Vera Lucia Pereira, 122
Bairro Goiânia, CEP 31.950-060
Belo Horizonte/MG - Brasil
contato@belloeditora.com
www.belloeditora.com

© 2005 Joyce Meyer
Copyright desta edição
FaithWords, EUA

Todos os direitos autorais
desta obra estão reservados
1ª. Edição Maio de 2009
7ª. Reimpressão Março de 2016

M612 Meyer, Joyce
O vício de agradar a todos: liberte-se
da necessidade de aprovação / Joyce
Meyer; tradução de Idiomas e Cia. – Belo
Horizonte: Bello Publicações, 2016.
312p.
Título original: Approval addction: overcoming
your need to please everyone.

ISBN 978 -85-61721-16-9

1. Auto-estima – Aspectos religiosos.
2. Amor próprio. 3. Relações interpessoais.
4. Determinação (Psicologia). I. Título.

CDD: 158.1
CDU: 159.942

Exceto em caso de indicação em contrário, as citações bíblicas foram extraídas da
Bíblia Almeida Revista e Atualizada (ARA). Direitos autorais© 1997
de Edições Vida Nova. Todos os direitos reservados.

As citações bíblicas marcadas "NVI" foram extraídas da Bíblia Sagrada, Nova Versão Internacional ®.
Direitos autorais © 1973, 1978, 1984 pela Sociedade Bíblica Brasileira. Todos os direitos reservados.

As citações marcadas "AMP" foram traduzidas livremente da Amplified Bible.
Lockman Foundation, 1987.

As citações bíblicas marcadas "KJV" foram extraídas da Versão King James
e traduzidas livremente.

As citações bíblicas marcadas 'NKJV' foram extraídas da
Nova Versão King James e traduzidas livremente.

Todos os direitos reservados. Nenhuma parte desta publicação pode ser reproduzida, armazenada ou
transmitida sob qualquer forma ou por qualquer meio – eletrônico, mecânico, fotocópia, gravação
ou qualquer outro - sem autorização prévia do editor.

Publicação em acordo com as orientações do NOVO ACORDO ORTOGRÁFICO DA LÍNGUA
PORTUGUESA, em vigor desde janeiro de 2009.

ÍNDICE

Introdução: Entendendo a Necessidade de Aprovação — 7

PARTE I
ACEITANDO QUEM SOMOS

1. Enfrente o Medo e Encontre a Liberdade — 15
2. Saiba Quem Você é — 33
3. Conformando-se à Justiça — 50
4. Mudando a Sua Autoimagem — 65
5. Amando a Si Mesmo — 86

PARTE II
LIDANDO COM OS NOSSOS VÍCIOS

6. Superando o Vício da Necessidade de Aprovação — 109
7. Superando a Dor dos Sentimentos — 130
8. Superando a Culpa e a Vergonha — 155
9. Superando a Ira e a Falta de Perdão — 175
10. Superando a Necessidade de Agradar a Todos — 194
11. Superando a Dor da Rejeição — 224

PARTE III
QUEBRANDO O PADRÃO PARA O FUTURO

12. Quebrando os Poderes que nos Controlam — 249
13. Use a Sua Dor — 277

Conclusão: Vivendo uma Vida Completa em Cristo — 293
Notas — 303
Sobre a Autora — 305

INTRODUÇÃO

Entendendo a Necessidade de Aprovação

Na sociedade atual enfrentamos uma epidemia de insegurança. Muitas pessoas são inseguras e se sentem mal a respeito de si mesmas, o que rouba sua alegria e causa problemas graves em todos os seus relacionamentos.

Sei o efeito que a insegurança pode ter sobre alguém porque eu mesma passei por isso. Sei o que ela faz a uma pessoa. As pessoas que foram feridas profundamente pelo abuso ou pela rejeição, como eu, em geral buscam a aprovação dos outros para tentarem superar seus sentimentos de rejeição e baixa estima. Elas sofrem em decorrência desses sentimentos e usam o vício da agradar a todos como uma tentativa de eliminar a dor. Elas se sentem infelizes caso ninguém as aprove de alguma forma ou por alguma razão, e ficam ansiosas com a reprovação até que sintam que são aceitas de novo. Elas são capazes de fazer praticamente qualquer coisa para ganhar a aprovação que sentem que perderam – até mesmo coisas que a sua consciência lhes diz que estão erradas. Por exemplo, se uma pessoa enfrenta a reprovação de alguém quando recusa um convite, ela pode mudar de planos e aceitar o convite somente para ter a aprovação daquela pessoa. Ela faz uma concessão para se sentir aprovada e aceita.

Um vício é algo que domina as pessoas – algo sem o qual elas sentem que não podem viver, ou algo que fazem para aliviar a dor ou a pressão. É algo para o qual a pessoa corre quando está sofrendo ou quando se sente só. Apresenta-se de várias formas, como drogas, álcool, jogo, sexo, compras, comida, trabalho – e sim, até mesmo aprovação. Como qualquer viciado, as pessoas inseguras correm atrás de uma 'dose' quando começam a tremer. Elas precisam que alguém as apóie e lhes garanta que está tudo bem, e que elas são aceitas. Quando uma pessoa tem um vício, aquilo que a viciou permanece na sua mente a maior parte do tempo. Portanto, se uma pessoa é viciada em aprovação, ela terá uma preocupação fora do comum sobre isso, fazendo com que uma enxurrada de pensamentos sobre o que as pessoas pensam a seu respeito invada sua mente.

A boa notícia é que nenhum de nós precisa sofrer com a insegurança; há cura para o vício de agradar a todos. A Palavra de Deus diz que podemos estar seguros através de Jesus Cristo (Ver Efésios 3:17). Isto significa dizer que somos livres para sermos nós mesmos e para nos tornarmos tudo o que podemos ser nele.

A BASE PARA A SEGURANÇA

Uma sensação de segurança é algo que todos precisam e desejam. A segurança nos permite desfrutar de uma vida saudável, preenchida por pensamentos sadios. Significa que nos sentimos seguros, aceitos e aprovados. Quando estamos seguros aprovamos a nós mesmos, temos confiança e nos aceitamos e amamos de uma forma equilibrada. Não precisamos necessariamente da aprovação dos outros para nos sentirmos confiantes. A segurança nos permite atingir o nosso potencial e cumprir o destino que Deus reservou para nós.

Creio que é a vontade de Deus para cada um de nós que sejamos seguros, porque a falta de autoconfiança nos atormenta e nos afasta das bênçãos que Ele pretende que desfrutemos. Ao longo dos anos, aprendi que a base para a segurança é sabermos quem somos em Cristo, aceitando o amor incondicional de Deus e aceitando a nós mesmos, embora saibamos que temos fraquezas e não somos perfeitos.

Sofri abusos em meu passado que me fizeram sofrer de uma forte insegurança. Esse sentimento me acompanhou mesmo depois que me tornei cristã, porque eu não me via através das lentes da Palavra de Deus. Eu me rejeitava, e não gostava de mim mesma porque não me via como Deus me via. Eu não sabia quem era em Cristo (Ver 2 Coríntios 5:21); não estava enraizada e firmada em Seu amor e não sabia que podia encontrar a minha aprovação nele. Embora, de acordo com as Escrituras, eu houvesse sido recriada em Cristo (ver Efésios 2:10), e tivesse passado a ser uma nova criatura e recebido um novo começo e um futuro excelente, eu ainda me via como um fracasso e como alguém indigno de ser amado e aceito.

Minha vida foi muito difícil durante aquele tempo. Eu estava sempre frustrada e não sentia verdadeira paz ou alegria porque tinha uma autoimagem negativa e sentia que ninguém gostava de mim. Aqueles sentimentos faziam com que eu agisse como se não precisasse de ninguém – como se não me importasse com a forma como as pessoas se sentiam a meu respeito. Mas bem lá no fundo, eu realmente me importava e tentava fazer o máximo possível para ser aquilo que eu achava que as pessoas esperavam de mim.

Mas à medida que fui estudando a Palavra de Deus, aprendi que eu era valiosa pela pessoa que sou em Cristo, e não por aquilo que faço ou pela opinião das pessoas a meu respeito. Percebi que não tinha de ficar insegura porque quando Deus olhava para mim, Ele via a justiça de Seu Filho Jesus (Ver 2 Coríntios 5:21), e não tudo que havia de errado comigo ou o que eu havia feito de errado. E a verdade me libertou. Pela primeira vez em minha vida, senti-me segura.

Parte da nossa herança como crentes é sermos seguros (Ver Isaías 54:17) – sabermos quem somos em Cristo, termos um sentimento de justiça ou retidão diante de Deus. Deus declara que temos valor pelo fato de que Ele enviou o Seu Filho Jesus para morrer por nós. Não devemos andar por aí o tempo todo nos sentindo mal acerca de nós mesmos, como muitas pessoas fazem. Geralmente, as pessoas que se sentem assim pensam: "Há algo errado comigo. Não sou o que deveria ser. Não estou onde deveria estar. Minha aparência não é a que deveria ser. Não tenho talento. Eu não *isso*. Eu não *aquilo*. Eu não *aquilo outro*".

O diabo gosta de nos lembrar do que não somos, mas Deus tem prazer em nos apoiar e nos lembrar quem somos, e o que podemos fazer através de Jesus. Filipenses 3:3 nos diz que: "não temos confiança alguma [naquilo que somos] na carne [e... na aparência exterior]", mas devemos "nos gloriar e nos orgulhar em Jesus Cristo" (AMP).

A insegurança nasce ao olharmos para as nossas fraquezas, imperfeições e incapacidades. A libertação da insegurança vem quando fazemos o que Hebreus 12:2 nos instrui: a desviarmos os nossos olhos de tudo que nos distrai de Jesus, que é o Autor e Consumador da nossa fé. As nossas imperfeições certamente nos distrairão se lhes dermos demasiada atenção. Devemos confessar os nossos erros a Deus e confiar nele para nos transformar do jeito dele e no tempo determinado por Ele.

O CONHECIMENTO CONDUZ À LIBERTAÇÃO

Você vive sob um fardo de culpa e condenação, sentindo-se injusto, indigno e inseguro? Você é alguém que agrada a todo mundo, que está sempre procurando a aprovação das pessoas?

Se a resposta é sim, então espero pela graça e misericórdia de Deus ajudá-lo a superar esses sentimentos, porque eles afetam não somente os seus relacionamentos pessoais, mas também a sua vida de oração e a sua capacidade de ser promovido. Eles certamente roubam a sua alegria e a sua paz – e esta não é a vontade de Deus para você nem para ninguém.

A vontade de Deus é que você aproveite a vida – e você pode fazer isso, se souber como. Este "como" é o que quero compartilhar com você em *O Vício de Agradar a Todos*. Nas páginas seguintes você encontrará verdades tremendas que aprendi com Deus, verdadeiros "insights" que me ajudaram a superar as inseguranças em minha vida e viver na justiça, paz e alegria que nos pertencem como filhos de Deus (Ver Romanos 14:17). Dividi este livro em três seções. A Parte I trata de aceitarmos quem somos em Cristo – entendendo que não somos perfeitos, mas que não há problema algum nisso. A Parte II trata de alguns vícios específicos que impedem a nossa caminhada com Deus e com os outros, e o que precisamos fazer para vencê-los. Finalmente, na Parte III falo sobre algumas verdades gerais com relação à nossa perfeição em Deus e qual direção seguir em nossa vida se realmente quisermos vencer o vício de agradar a todos. Ao longo deste livro, irei acompanhá-lo por todos os passos e mostrar-lhe passagens bíblicas poderosas e histórias pessoais que o ajudarão a ver que você não está só, e que ao final você *vencerá!*

Oro para que você comece a experimentar cura e libertação à medida que lê estas páginas. O caminho para a liberdade não é necessariamente um caminho fácil, mas seguir em frente rumo a esse alvo é definitivamente mais fácil do que permanecer em cativeiro. Conhecer sua posição correta diante de Deus e a verdade sobre a sua justiça leva à libertação de sentimentos como condenação, derrota, inadequação, insegurança, e necessidade da aprovação das pessoas. Você alcançará novos níveis de liberdade e se tornará uma pessoa confiante e madura – alguém que pode andar na segurança de quem é em Cristo. A aprovação dele será tudo que você precisa.

Agora, vá em frente e dê o primeiro passo para vencer o Vício de Agradar a Todos dando uma olhada honesta em quem você é e em como se sente acerca de si mesmo.

PARTE I

Aceitando Quem Somos

CAPÍTULO

1

Enfrente o Medo e Encontre a Liberdade

O primeiro passo para entender uma necessidade desequilibrada de aprovação é entender o medo. A variedade de medos com os quais as pessoas lidam é interminável, mas um medo significativo que descobri em minha própria vida – e que talvez você mesmo esteja enfrentando – é o medo de *não estar agradando a Deus*. Se você foi ferido e machucado por pessoas difíceis ou mesmo impossíveis de se agradar, você pode achar que Deus também é assim. Mas Ele não é! Não é tão difícil agradar a Deus quanto pensamos. A fé simples de uma criança agrada a Deus. Além disso, Ele já sabe que não nos comportaremos perfeitamente o tempo todo, por isso enviou Jesus para pagar pelas nossas falhas e erros.

Como mencionei na Introdução, eu lutei e sofri com a frustração durante muitos anos tentando agradar a Deus com um comportamento bom, ou mesmo perfeito. Ao mesmo tempo, estava sempre com medo de estar falhando. Parece que não importava o que eu fizesse de certo, sempre via algo que estava fazendo de errado. Eu nunca me sentia boa o bastante; não importava o que fizesse, sempre me sentia como se precisasse fazer mais. Sentia que Deus estava insatisfeito comigo, e embora esse não fosse um sentimento correto, ele era real para mim porque eu acreditava nele. Eu estava enganada!

É possível que você também esteja enganado! Estar enganado significa acreditar em uma mentira. Muitas pessoas estão presas em uma escravidão que as torna infelizes simplesmente porque têm um sistema de convicções erradas. É bem possível que você acredite em algumas coisas de todo o coração, e, no entanto, essas coisas não são verdadeiras de forma alguma! Houve um tempo em que acreditei que meu futuro seria sempre afetado pelo meu passado, mas então aprendi através da Palavra de Deus que aquilo em que eu acreditava não era verdade.

Podemos abandonar o que ficou para trás, ser totalmente perdoados por todas as nossas más ações, e desfrutar do futuro grandioso que Deus planejou para nós desde antes da fundação do mundo.

"O QUE PRECISO FAZER PARA AGRADAR A DEUS?"

Existem duas coisas principais que creio que precisamos fazer para agradar a Deus. A primeira é ter fé em Jesus, e a segunda é desejar agradá-lo de todo o nosso coração. É importante entender que não podemos ter uma coisa sem a outra. A Bíblia diz que sem fé é impossível agradar a Deus (Ver Hebreus 11:6).

Em João 6:28-29 lemos sobre algumas pessoas que perguntaram a Jesus:

> Dirigiram-se, pois, a ele, perguntando: Que faremos para realizar as obras de Deus? Respondeu-lhes Jesus: A obra de Deus é esta: que creiais naquele que por ele foi enviado.

Então, você pode ver que Deus se agrada quando cremos em Seu Filho Jesus, e Ele não se agrada quando não cremos nele. Podemos fazer muitas obras boas e benevolentes, porém, se não tivermos fé em Jesus, Deus ainda assim não se agradará de nós. Mas se crermos e confiarmos em Deus, entraremos no Seu descanso de acordo com Hebreus 4; então nos sentiremos à vontade e confortáveis em lugar de temerosos e ansiosos com a vida.

Nós cremos, e Deus trabalha. O nosso trabalho – o trabalho do crente – é simplesmente crer. Lembre-se, somos aceitos por causa da nossa *fé*, e não das nossas boas obras. Os cristãos são chamados de *crentes*. Se o nosso trabalho fosse realizar, seríamos chamados *realizadores* e não *crentes*. Geralmente queremos colocar a ênfase naquilo que *nós* fazemos, mas o nosso foco deve estar naquilo que Deus fez por nós em Jesus Cristo. Podemos nos concentrar no nosso pecado e nos sentirmos infelizes, ou podemos nos concentrar no perdão e na misericórdia de Deus e sermos felizes.

Quando entendermos esta verdade, poderemos desfrutar do nosso relacionamento com Deus. Não precisamos viver sob a pressão da aceitação pelo desempenho, seguida do medo do fracasso cada vez que o nosso desempenho é menos que perfeito. Não precisamos ser viciados na aprovação nem estarmos prontos para obtê-la a qualquer custo. Se quisermos agradar a Deus de todo nosso coração, tudo que precisamos fazer é crer no Seu Filho Jesus Cristo e crer no que Ele diz na Sua Palavra.

Durante muitos anos, vive presa na armadilha da aceitação com base no desempenho. Achava que se me saísse bem, seria aprovada e aceita por Deus e pelas pessoas. Eu não me sentia bem comigo mesma nem me aceitava a não ser que meu desempenho fosse bom. Quando não me saía bem, automaticamente supunha que Deus estava me rejeitando porque aquilo era o que eu estava acostumada a ver no meu relacionamento com as pessoas. Mais uma vez, a verdade havia sido distorcida aos meus olhos por meio de um sistema de convicções erradas.

Deus não nos rejeita quando cometemos erros, mas se *acharmos* que Ele o faz, se *temermos* que Ele o faça, a mentira na qual acreditamos se torna real para nós. Certa vez, tive uma funcionária que havia sofrido muita rejeição por parte de seu pai quando não se saía bem na escola ou não tinha um bom desempenho em outras áreas. A rejeição com a qual conviveu nos primeiros anos de sua vida fez com que ela desenvolvesse alguns padrões de comportamento difíceis de entender. Quando o seu desempenho no trabalho era simplesmente menos que perfeito, sentia que ela se fechava comigo, na verdade eu me sentia rejeitada por ela. Ela não apenas se recolhia, como também entrava em um processo frenético de trabalho, tentando realizar mais coisas.

Aquele comportamento realmente me incomodava e dificultava que tivéssemos um relacionamento confortável. Como superior dela profissionalmente, eu temia dar-lhe instruções ou corrigi-la em qualquer coisa, pois sabia, pela experiência, como ela se comportaria. Na verdade, eu temia até mesmo perguntar como estava o desenvolvimento de diversos projetos porque, se ela não fosse capaz de me dar um relatório perfeito, ficava contrariada mesmo se eu continuasse calma. Se eu perguntava como estava indo seu trabalho, a única forma de vê-la feliz e calma era quando ela podia me dizer que tudo estava feito, e com perfeição.

Eu não entendia as atitudes dela naquela época, mas através da oração e depois de nos abrirmos uma com a outra, finalmente descobrimos que ela tinha um medo terrível de ser rejeitada se não tivesse um desempenho perfeito. Embora eu não a estivesse rejeitando, o seu medo de ser rejeitada fazia com que ela se fechasse comigo. Para piorar as coisas, seu recolhimento e seu silêncio faziam com que *eu* me sentisse rejeitada por *ela*, como se eu tivesse feito algo de errado. O sistema de convicções dela estava errado, criando uma atmosfera desconfortável onde Satanás podia operar facilmente.

Eu não esperava que ela fosse perfeita, mas ela esperava isso de si mesma. Eu não a estava pressionando; ela estava pressionando a si mesma. Muito embora eu não estivesse contrariada com o seu progresso, ela supunha que eu estivesse e reagia de acordo com essa ideia. O comportamento dela realmente me confundia e fez com que eu não desejasse trabalhar com ela. Felizmente, ela finalmente aprendeu a acreditar que eu a amava e a aceitava embora o seu desempenho nem sempre fosse perfeito. Isso permitiu que trabalhássemos juntas com alegria por muitos anos.

> *Se o nosso trabalho fosse realizar, seríamos chamados realizadores e não crentes.*

Assim como eu havia aprendido antes em minha própria vida, minha funcionária teve de aprender a acreditar no que eu dizia e não no que ela sentia. Precisamos decidir fazer o mesmo no nosso relacionamento com Deus. Precisamos aprender a confiar mais na Palavra de Deus do que nos nossos sentimentos.

Geralmente nos curvamos aos nossos sentimentos sem perceber o quanto eles são instáveis e vacilantes. Nossos sentimentos não são uma fonte de informação confiável. Deus nos ama e nos aceita incondicionalmente; Seu amor não se baseia no nosso desempenho. A Bíblia diz em Efésios 1:6 que nos tornamos aceitáveis no Amado (KJV). Como mencionei anteriormente, é a nossa *fé* em Jesus que nos torna aceitáveis a Deus e agrada a Ele, e não o nosso desempenho.

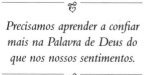

Precisamos aprender a confiar mais na Palavra de Deus do que nos nossos sentimentos.

Não estamos vivendo pela fé se acreditamos mais no que sentimos do que naquilo que a Palavra de Deus diz. Você acredita no Deus da Bíblia ou no deus dos seus sentimentos?

DESEJANDO AGRADÁ-LO EM TODAS AS COISAS

Todas as pessoas que amam a Deus querem agradá-lo. O fato de termos o desejo de agradá-lo também agrada a Ele. Agradar alguém significa que aquela pessoa pensa bem a nosso respeito ou que somos aprovados por ela. Queremos a aprovação de Deus, e não há nada de errado nisso. Na verdade, é necessário ter o desejo de agradar a Deus, pois isso nos motiva a buscar a vontade dele em todas as coisas. As pessoas que têm um desejo profundo de agradar a Deus podem não se sair bem o tempo todo, mas elas continuam seguindo em frente e sempre têm uma atitude de querer melhorar.

Em 2 Crônicas 16:9, vemos que Deus está procurando por toda a parte alguém em quem Ele possa se mostrar forte, alguém que tenha um coração perfeito diante dele. As Escrituras não dizem que Ele está procurando alguém que tenha um desempenho perfeito, mas sim alguém que tenha um coração perfeito – um coração que deseja agradá-lo, um coração que se entristece com o pecado e com o mal, um coração que crê nele e na Sua disposição e capacidade de perdoar e restaurar. Deus sabe que não podemos manifestar a perfeição. Se pudéssemos ser perfeitos em nosso desempenho, não precisaríamos de um Salvador, e Jesus teria vindo em vão. Jesus veio para aqueles que estavam enfermos no espírito, no corpo e na alma, e não para aqueles que não tinham necessidades (Ver Lucas 5:31-32). É aceitável sentir necessidades!

Deus é um Deus de corações. Ele vê e se importa com a atitude do nosso coração, muito mais do que com o nosso desempenho. Eu disse muitas vezes que acredito que Deus prefere um crente com um bom coração e um desempenho imperfeito, do que um crente que tenha o desempenho perfeito, mas o coração impuro.

Por exemplo, Jesus tinha muito a dizer aos fariseus de Sua época. Eles tinham um desempenho correto, respeitavam as leis, seguiam todas as normas e regulamentos, e orgulhavam-se disso. Mas eles também tinham o costume de julgar os outros, não andavam em amor, e não demonstravam compaixão. Jesus os chamou de "sepulcros caiados", cheios de ossos de homens:

> Ai de vós, escribas e fariseus, hipócritas, porque sois semelhantes aos sepulcros caiados, que, por fora, se mostram belos, mas interiormente estão cheios de ossos de mortos e de toda imundícia! (Mateus 23:27)

Aqueles fariseus eram pessoas muito religiosas – eles seguiam todas as regras – mas os seus corações não eram retos.

A verdade agrada a Deus. Segundo João 4:23-24, Ele está buscando adoradores que O adorem em espírito e em verdade (realidade). Ele odeia o fingimento! Foi por isso que eu disse anteriormente que duas das coisas mais importantes para Deus são a fé em Jesus e um coração puro que deseja agradá-lo em tudo.

Certa vez, um homem me disse: "Não sou mau; sou apenas burro". A descrição que ele fez de si mesmo estava correta. Ele é uma pessoa de quem todos gostam e que deseja agir corretamente, no entanto, parece sempre tomar decisões erradas que lhe acarretam problemas. É difícil alguém permanecer zangado com ele, porque ele realmente não tem a intenção de causar problemas, embora o faça frequentemente.

Tenho certeza de que você já conheceu pessoas como o homem que acabo de descrever – pessoas muito frustradas, mas que na verdade você gosta delas. Creio que Deus deve nos ver deste modo algumas vezes. Fazemos coisas que geram problemas nas nossas próprias vidas e depois corremos para Deus pedindo que Ele nos ajude. As boas novas são que Ele realmente nos ajuda uma vez após a outra, porque Ele conhece a nossa estrutura e se lembra que não passamos de pó (Ver Salmos 103:14). Como seres humanos, olhamos o desempenho dos outros, mas Deus vê o coração:

> Porém o Senhor disse a Samuel: Não atentes para a sua aparência, nem para a sua altura, porque o rejeitei; porque o Senhor não vê como vê o homem. O homem vê o exterior, porém o Senhor, o coração. (1 Samuel 16:7)

AQUILO QUE TEMO ME SOBREVÉM

> Aquilo que temo me sobrevém, e o que receio me acontece. (Jó 3:25)

Como mencionei anteriormente, o medo é uma emoção terrível – uma emoção que se concretiza. Jó tinha temores com relação a seus filhos e finalmente chegou a um ponto em sua vida em que viu os seus temores se concretizarem. A Bíblia diz que será feito conosco conforme a nossa fé (Ver Mateus 9:29). Este princípio funciona tanto no sentido negativo quanto no positivo. Podemos receber algo pelo medo, da mesma forma que recebemos pela fé.

Certa vez, meu marido e eu contratamos uma pessoa para fazer alguns trabalhos em nossa casa. Ele sempre dizia que tinha *medo* de disparar o alarme de segurança. Repetimos as instruções diversas vezes, mas podíamos ver que ele ainda não estava seguro. No seu primeiro dia de trabalho, ele ligou o alarme ao sair e tudo parecia estar bem. Mas naquela noite tivemos alguns temporais fortes, e alguma coisa fez disparar o alarme às três da manhã. A polícia ligou e disse que uma porta estava ligeiramente entreaberta, mas que eles a tinham fechado. Foi preciso ligar para o homem que havíamos contratado e pedir a ele que fosse verificar. A notícia de que o alarme havia disparado realmente o inquietou. Ele disse: *"Eu tinha medo que isto acontecesse"*.

O medo é simplesmente fé no que Satanás diz. Precisamos nos lembrar que não apenas Deus fala conosco, mas Satanás também. Ele é um mentiroso (Ver João 8:44), e quando acreditamos em suas mentiras somos enganados, abrindo a porta para que ele opere em nossas vidas. Abrimos a porta para que Deus opere tendo fé em Sua Palavra, e abrimos a porta para Satanás operar tendo fé na palavra dele. Ele coloca pensamentos que não são verdadeiros em nossa mente, mas que podem se tornar reais se acreditarmos neles. Se tivermos medo de não estar agradando a Deus ou às pessoas, manifestaremos um comportamento que nos tornará realmente desagradáveis.

> *O medo é simplesmente fé no que Satanás diz.*

O mesmo princípio funciona com relação à rejeição. Se tivermos medo de ser rejeitados, geralmente nos comportaremos de uma forma que fará com que as pessoas nos rejeitem. Acabamos produzindo aquilo em que cremos!

Pelo fato de ser vista como uma figura de forte autoridade, às vezes encontro pessoas que têm medo de mim ou que ficam muito nervosas na minha presença. Eu não faço nada para que elas tenham medo; elas têm um problema por causa de alguma coisa no passado delas que as deixou inseguras e medrosas na presença de alguma autoridade. Não gosto quando as pessoas têm medo de mim. Assim como no caso da minha funcionária cujos problemas passados geraram tensão no nosso relacionamento profissional, isso me deixa desconfortável e pode realmente fazer com que eu não queira estar perto delas. O medo que elas têm de mim gera exatamente aquilo que elas temem.

Sei do que estou falando, porque lidei com o mesmo problema do lado oposto. Fui criada em um lar muito desequilibrado – uma casa cheia de violência, abuso e medo. Por ter sido maltratada, desenvolvi o sentimento de que eu era uma pessoa errada e inaceitável. Sentia vergonha de mim mesma. Tinha medo de conhecer pessoas novas porque temia que elas não gostassem de mim, e com certeza a maioria delas não gostava mesmo. Até mesmo aquelas que se tornaram minhas amigas vieram a me dizer mais tarde que não gostaram de mim quando me conheceram. Eu recebi exatamente aquilo em que acreditava!

DEUS NOS AMA!

Como filhos de Deus, podemos renovar as nossas mentes por meio do estudo da Sua Palavra, e começar a pensar de forma diferente (Ver Romanos 12:2). Ao pensar de forma diferente, nos comportaremos de modo diferente, porque onde a mente vai, o homem segue (Ver Provérbios 23:7). Quando descobri na Palavra de Deus que Ele realmente se agradava de mim e me aceitava muito embora eu não agisse com perfeição, isso mudou o meu modo de pensar. Comecei a ter a *expectativa* de que as pessoas gostassem de mim. E com certeza, isso aconteceu. Comecei até a confessar em voz alta que "Deus me concedeu o Seu favor" e que "as pessoas gostavam de mim". Aprendi a dizer o que Deus dizia a meu respeito em vez de dizer o que o diabo queria que eu acreditasse[1].

Pergunte a si mesmo o que você tem esperado da vida, e descobrirá a razão que está por trás de algumas de suas decepções. Deus quer que esperemos decididamente coisas boas e não más. Ele quer que esperemos aceitação como Seu dom para nós. Deus nos concederá favor e aprovação se esperarmos receber isso. Satanás nos dará rejeição e reprovação se for isso que esperamos receber. Viver dentro do favor sobrenatural de Deus é certamente melhor do que tentar ganhar aceitação agradando as pessoas e tendo um desempenho perfeito.

Em Mateus 3:13-17 lemos o relato do batismo de Jesus. Quando Ele saiu das águas, o Espírito Santo desceu do céu como uma pomba e pousou sobre Ele, e uma voz do céu disse: "Este é o Meu Filho Amado, em quem Me comprazo!" Depois, em Mateus 17:5, no Monte da Transfiguração, uma nuvem brilhante cobriu Jesus e Seus discípulos, e uma voz saindo da nuvem disse: "Este é o Meu Filho Amado, em quem Me comprazo (e em quem sempre tive prazer)" (AMP). Certo dia, quando estudava, entendi que se Jesus precisou ouvir e receber este encorajamento por duas vezes, quanto mais não precisamos nós ouvir que somos agradáveis a Deus? E o que é mais importante, e se Jesus tivesse rejeitado as palavras de Seu Pai? Como isso teria afetado Sua vida e Seu ministério?

Deus tenta nos dizer em Sua Palavra o quanto Ele nos ama, que nos aceita e muito embora já soubesse cada erro que cometeríamos, que Ele realmente nos escolheu para Si:

> Assim como [em Seu amor] nos escolheu [realmente nos separou para Ele como Seus] nele (em Cristo), antes da fundação do mundo, para sermos santos (consagrados e separados para Ele) irrepreensíveis (aos Seus olhos e até mesmo inculpáveis) perante Ele; e em amor. (Efésios 1:4, AMP)

Nós lemos essas palavras, mas temos dificuldade para recebê-las. Deixamos que nossos sentimentos roubem a bênção da aceitação e da aprovação de Deus. Deixamos que a opinião das pessoas determine o nosso valor em vez de confiarmos na Palavra de Deus.

Quero encorajá-lo a dizer em voz alta várias vezes ao dia: "Deus me ama incondicionalmente, e Ele tem prazer em mim". A mente rejeita tais declarações; afinal, como poderia Deus, que é perfeito, ter prazer em nós, com nossas imperfeições? A resposta é simples: Deus separa quem somos daquilo que fazemos. Meus filhos são Meyers. Eles nem sempre agem corretamente, mas nunca deixam de ser Meyers; nunca deixam de ser meus filhos. Saber que eles têm um coração justo é o suficiente para mim. Eles cometem erros, mas desde que os admitam e mantenham seus corações justos, estou sempre disposta a trabalhar com eles.

Deus sente o mesmo a nosso respeito. Como crentes em Jesus Cristo, somos filhos de Deus. Talvez nem sempre nossas atitudes sejam as que Ele deseja, mas nunca deixamos de ser Seus filhos.

VOCÊ NÃO É SURPRESA PARA DEUS

Agimos como se Deus ficasse chocado ao descobrir que cometemos erros. Ele não está no céu esfregando as mãos e dizendo: "Ah, não! Eu não tinha ideia de que você agiria assim quando o escolhi!" Deus tem uma grande borracha, e Ele a usa para manter nossa ficha limpa e clara. Ele conhece o fim desde o começo de todas as coisas (Ver Isaías 46:10). Ele já sabe quais são os nossos pensamentos e cada palavra de nossa boca que ainda não foi pronunciada. Ele está familiarizado com todos os nossos caminhos (Ver Salmos 139:1-4). Mesmo com todo o Seu conhecimento prévio de nossas fraquezas e dos erros que cometeríamos, Ele ainda assim nos escolheu intencionalmente e nos trouxe a um relacionamento com Ele através de Cristo.

Deus me ama incondicionalmente, e Ele tem prazer em mim.

Se jamais cometermos erros, então provavelmente não tomaremos decisões. F. Scott Fitzgerald disse: "Nunca confunda um erro isolado com um erro definitivo". Os nossos erros têm valor; podemos aprender com eles. Gosto do que o autor e conferencista John C. Maxwell tem a dizer sobre eles. Ele disse que os erros são:

- Mensagens que nos transmitem uma informação sobre a vida.
- Interrupções que deveriam nos fazer refletir e pensar.
- Avisos que nos direcionam para o caminho certo.
- Testes que nos empurram na direção de uma maturidade maior.
- Toques que nos despertam para nos manter mentalmente ligados.
- Chaves que podemos usar para destrancar a próxima porta da oportunidade.
- Explorações que nos permitem atravessar lugares onde nunca estivemos antes.
- Declarações sobre o nosso progresso e desenvolvimento.[2]

Lembro-me de uma piada que li e ouvi muitas vezes ao longo dos anos. Um conferencista famoso deu início ao seu seminário levantando uma nota de cinquenta dólares. Em uma sala com duzentas pessoas, ele perguntou: "Quem quer esta nota de cinquenta dólares?" As mãos começaram a se erguer. Ele disse: "Vou dá-la a um de vocês, mas deixem-me fazer algo primeiro".

Ele começou a amassar a nota. Depois perguntou: "Quem ainda quer a nota?"

As mãos continuaram erguidas.

"Bem", respondeu ele, "e se eu fizer isto?" E ele a deixou cair no chão e começou a esfregá-la com o sapato. Ele a apanhou, agora toda amassada e suja.

"E agora, quem ainda quer a nota?" As mãos voltaram a se erguer.

"Meus amigos, todos vocês aprenderam uma lição muito valiosa. Não importa o que fiz com o dinheiro, vocês ainda o querem porque ele não diminuiu ou perdeu o seu valor. Ele ainda vale cinquenta dólares".

Muitas vezes em nossa vida caímos, somos amassados e esfregados no chão pelas decisões que tomamos e pelas circunstâncias que se apresentam diante de nós. Sentimo-nos como se não tivéssemos nenhum valor. Mas independente do que tenha acontecido ou do que venha a acontecer, jamais perderemos o nosso valor aos olhos de Deus. Sujos ou limpos, amassados ou bem dobrados, ainda somos muito caros para Ele.

Jamais perderemos o nosso valor aos olhos de Deus.

O nosso desejo de aprovação só pode ser realmente alcançado quando recebemos a aceitação e a aprovação de Deus. O Senhor disse a Jeremias que antes que Ele o formasse no ventre de sua mãe, Ele o conhecia e o aprovava como Seu instrumento escolhido (Ver Jeremias 1:5). Quando Deus diz que nos conhece, Ele quer dizer que realmente nos *conhece*. Este é um tipo de conhecimento que não deixa nada de fora.

É espantoso para mim o fato de Deus ter me escolhido. Não creio que eu me escolheria. Mas dentro da caixa de ferramentas de Deus há algumas coisas interessantes. Ele trabalha com aquilo que o mundo rejeitaria como coisa inútil e jogaria fora como lixo:

> Deus escolheu (selecionou deliberadamente) as coisas loucas do mundo para envergonhar os sábios, e escolheu as coisas fracas do mundo para envergonhar as fortes.
>
> E Deus escolheu (selecionou deliberadamente) as coisas humildes do mundo, e as desprezadas, e aquelas que não são, para reduzir a nada as que são. (1 Coríntios 1:27-28, AMP)

Sim, Deus escolhe e usa o que o mundo rejeitaria e jogaria fora! Jeremias era perfeito? De maneira alguma! Deus teve de corrigi-lo por causa do seu medo, principalmente o medo das pessoas. Jeremias tinha medo de ser rejeitado e reprovado. Deus o corrigiu por falar negativamente e o encorajou a seguir em frente e não desistir. Deus realmente disse a Jeremias para não olhar para o rosto das pessoas. Prestamos atenção demais à forma como as pessoas reagem a nós. Em geral observamos seu rosto para ver se elas aprovam ou reprovam o que estamos vestindo, nosso cabelo, nosso desempenho, etc.

Sim, Jeremias tinha problemas assim como nós. Quando Deus viu Jeremias, Ele não viu perfeição, mas obviamente viu alguém com o coração reto que acreditava nele. Ele viu os dois ingredientes principais para agradar a Deus: (1) fé em Jesus e (2) um desejo profundo de agradar-lhe. Embora Jeremias não fosse perfeito, ele se submeteu ao chamado de Deus para sua vida. Jeremias, apesar das críticas, da falta de popularidade e dos ataques que sofria, entregou fielmente a mensagem de Deus à nação de Judá.

Elias foi outro grande profeta. Deus usou-o poderosamente e sua fama espalhou-se, porém ele também tinha imperfeições. Ele teve períodos de medo, depressão, autocomiseração e vontade de desistir (Ver 1 Reis 19:3-4).

Tiago escreveu enquanto encorajava a Igreja a orar e crer que suas orações seriam respondidas:

> Elias era homem semelhante a nós, sujeito aos mesmos sentimentos [como afeições e uma constituição como a nossa], e orou, com instância, para que não chovesse sobre a terra, e, por três anos e seis meses, não choveu. E [então] orou, de novo, e o céu deu chuva, e a terra fez germinar seus frutos [como de costume]. (Tiago 5:17-18, AMP)

Jesus queria deixar claro que mesmo pessoas imperfeitas podem orar, e Deus ouvirá. Por que Ele faz isso? Porque tem prazer na fé, e em um coração justo.

Deus não se surpreende com o nosso comportamento humano; na verdade Ele tenta nos dizer o que devemos esperar de nós mesmos:

> Que é a vossa vida? Sois, [na verdade] apenas, como neblina [um sopro de fumaça, uma névoa] que aparece por instante e logo se dissipa [no fino ar]. (Tiago 4:14, AMP)

> Uma voz diz: Clama [Profetiza]! E alguém pergunta: O que hei de clamar? [A voz respondeu: Proclama!] Toda carne é erva, e toda a sua glória [sua bondade, sua boa vontade... e graça, por melhor que seja, é transitória], como a flor da erva.

> Seca-se a erva, e caem as flores, soprando nelas o hálito do Senhor. Na verdade, [todo] o povo é erva. (Isaías 40:6-7, AMP)

A carne (o homem) é como um sopro de fumaça ou uma folha de grama – está aqui por um período muito curto e não muito estável. Deus sabe disso e não tem nenhum problema quanto a isso, porque Ele está disposto a trabalhar através de nós e a se mostrar forte na nossa fraqueza. Na verdade a Bíblia declara que a força de Deus se mostra mais eficaz na nossa fraqueza (Ver 2 Coríntios 12:9). Deus não tem qualquer problema em saber aquilo que nos falta; somos nós que temos problemas com relação a isso. Temos dificuldades em admitir para nós mesmos ou para qualquer pessoa que somos imperfeitos. É importante para nós sabermos o que podemos fazer, mas é ainda mais importante que saibamos o que não podemos fazer. Precisamos enfrentar as nossas fraquezas, e não nos sentirmos mal a respeito.

> *Levante-se todos os dias, ame a Deus, e faça o seu melhor. Ele fará o resto!*

Levante-se todos os dias, ame a Deus, e faça o seu melhor. Ele fará o resto! Lembre-se, Deus não se surpreende com as suas incapacidades, com as suas imperfeições ou com os seus erros. Ele sempre soube de todas as coisas a seu respeito que você só está descobrindo agora, e Ele escolheu você intencionalmente para Si. Jesus o apresentará inculpável e sem falhas a Deus, se você colocar a Sua confiança nele (Ver 1 Coríntios 1:7-8).

Quando enfrentamos os nossos temores, podemos encontrar a liberdade. Em João 8:32, Jesus disse: "A verdade vos libertará". A palavra *medo* significa "fugir de". Não precisamos fugir de nada; podemos enfrentar todas as coisas no poder do Espírito Santo. É hora de parar de fugir, de "aquietar-se e ver o livramento do Senhor" (Êxodo 14:13).

Neste capítulo, falamos sobre o medo. Agora vamos dar uma olhada no que significa sermos realmente seguros de nós mesmos em Deus, e como isso nos ajuda a superar a nossa necessidade de aprovação.

CAPÍTULO 2

Saiba Quem Você é

Uma das maiores curas para o vício de agradar a todos é o conhecimento de quem somos em Cristo. De acordo com 2 Coríntios 5:21 (KJV), nós fomos feitos justiça de Deus em Cristo. A frase "em Cristo" (v. 19) precisa ser entendida se quisermos andar em vitória. O que somos em Cristo é muito diferente do que somos em nós mesmos. E em nós mesmos não somos absolutamente nada de valor, mas "em Cristo" partilhamos de todas as coisas que Ele mereceu e conquistou. A Bíblia diz que somos "co-herdeiros" com Cristo (Ver Romanos 8:17, KJV) e compartilhamos da Sua herança, da Sua justiça e da Sua santidade.

Aprenda a identificar-se com Cristo; veja-se "nele". A Bíblia nos ensina em Romanos, capítulo 6, que quando Ele morreu, nós morremos, e quando Ele foi levantado para uma nova vida, nós fomos levantados com Ele. Se colocássemos duas moedas em uma garrafa, selássemos a garrafa e a afundássemos na água, as moedas estariam na água assim como a garrafa. Na verdade, porém, as moedas estariam em melhor situação, porque estariam no mesmo lugar que a garrafa, mas não se molhariam.

Podemos usar esta analogia para entender melhor o que significa dizer que estamos "em Cristo". Jesus é a garrafa e nós somos as moedas. Consideramos que todos os que são crentes em Jesus Cristo estão "nele". Compartilhamos das mesmas coisas pelas quais Jesus passou em Sua experiência; embora não tenhamos tido a experiência real de passar por elas, elas se tornam nossas por meio da nossa fé nele.

Efésios 1:17-23 e 2:5-6 nos ensina que estamos sentados com Ele nos lugares celestiais à direita de Deus. Como podemos estar em dois lugares ao mesmo tempo? Como podemos estar aqui na terra e ao mesmo tempo estarmos sentados com Ele no céu? É possível porque vivemos em duas esferas ao mesmo tempo. Temos uma vida carnal e uma vida espiritual. Somos espíritos que têm uma alma e vivem em um corpo. Nossos pés podem estar tocando a terra, e nosso coração pode estar tocando o céu.

Quando entendemos como Deus nos vê através de Cristo, podemos deixar de nos importar com o que as pessoas pensam a nosso respeito, e de nos sentir mal acerca de nós mesmos. Não precisamos ser viciados na aprovação das pessoas, porque já temos a aprovação de Deus. Podemos deixar de viver debaixo de condenação ou de estar constantemente buscando agradar a todos. Podemos aceitar a nós mesmos; e, quando o fizermos, os outros começarão a nos aceitar também.

Se uma pessoa é viciada em alguma substância, só sente dor quando não consegue tê-la. E se existe um fluxo regular dessa substância dentro do seu sistema, jamais sentirá dor. Da mesma forma, se formos viciados na aprovação das pessoas, sempre sentiremos dor quando essa aprovação for retirada – o que sempre acontece, uma vez ou outra. Entretanto, se buscamos a Deus para termos aprovação, jamais sentiremos a dor de termos essa aprovação negada, pois teremos um fluxo constante e regular do Seu amor e aceitação. Ele está sempre disponível para nós. É gratuito e abundante. Passamos por muitas angústias porque tentamos obter das pessoas o que somente Deus pode nos dar: um senso de valor. Busque a Deus, e não as pessoas, para obter o que você precisa.

Busque a Deus, e não as pessoas, para obter o que você precisa.

JUSTOS AOS OLHOS DE DEUS

> Aquele que não conheceu pecado, Ele o fez [na prática] pecado por nós; para que, nele, fôssemos feitos [imbuídos da, vistos como quem está na, exemplos da] justiça de Deus [o que deveríamos ser, aprovados e aceitáveis e em um relacionamento correto com Ele, pela Sua bondade]. (2 Coríntios 5:21, AMP)

Observe que esta passagem das Escrituras diz que somos vistos por Deus como sendo justos. Isso significa que Ele decide olhar para nós de uma certa forma. Em Efésios 1:5, a Bíblia diz que Ele nos amou e que por meio de Jesus Cristo nos adotou como Seus próprios filhos, e que Ele o fez porque isto lhe era agradável e esta era a Sua boa intenção. Em outras palavras, Deus nos ama porque quer, não por nada que façamos para conquistar ou merecer o Seu amor. Como Deus, pode fazer qualquer coisa que deseje, e não precisa da permissão de ninguém para isso.

Talvez não nos pareça razoável que Deus nos ame, porque olhamos para nós mesmos e não conseguimos encontrar nenhuma razão para que Ele o faça. Deus não precisa ser razoável, porque Ele é Deus! Só pelo fato de não entendermos o que Deus faz, isto não o impede de fazê-lo. Entendemos Deus com o nosso coração, e não com a nossa mente. Talvez em nossa mente não saibamos por que Deus nos ama, mas em nosso coração podemos saber que Ele tem amor por nós. As pessoas geralmente precisam ter um motivo para nos amar e aceitar, mas Deus não precisa disso.

Precisamos entender que ser justo não significa que somos tão inteiramente perfeitos a ponto de não termos fraquezas ou imperfeições. Significa que acreditamos que Jesus se fez pecado através de Sua morte na cruz, e que, ao se fazer pecado por nós, Ele nos tornou justos. Ele realmente tomou o pecado sobre si e pagou a penalidade por ele. Ser justo é um estado onde Deus, por Sua graça, nos coloca por meio de nossa fé na verdade do que Jesus fez por nós.

A Justiça – ou a forma certa de sermos aquilo que Deus deseja ou quer – não é o resultado do que fazemos, mas sim do que Jesus fez por nós (Ver 2 Coríntios 5:17-21). A justiça nos é imputada pela graça e misericórdia de Deus. Deus fez com que Jesus se fizesse pecado para nos tornar justos; portanto, se cremos nesta verdade, somos justos, e a partir deste conhecimento e convicção podemos agir de forma correta.

Por outro lado, se nunca acreditarmos que Jesus se fez pecado por nós e nos fez justos, nunca começaremos a fazer o que é certo em nossa vida. Primeiramente, precisamos saber que fomos justificados. Não podemos produzir algo que não temos. Deus jamais esperaria que produzíssemos algo que Ele não tivesse nos dado antes. Ele nos dá o Seu amor e depois espera que amemos as pessoas. Ele derrama sobre nós a Sua misericórdia e bondade e depois espera que sejamos bons e misericordiosos para com os outros. Do mesmo modo, Ele nos dá a Sua própria justiça e espera que nos comportemos com retidão.

Se fôssemos uma macieira, não seria difícil produzir maçãs. Não teríamos de nos esforçar para dar frutos, porque esta seria a ordem natural das coisas. Do mesmo modo, se sabemos que somos justos aos olhos de Deus, a reação automática é agirmos retamente. Mas se acreditarmos que somos "velhos pecadores inveterados", continuaremos a pecar incessantemente porque aquilo que fazemos vem do nosso "quem" – de quem acreditamos que somos. Precisamos de uma "consciência de retidão" e não de uma "consciência de pecado".

> *Precisamos de uma "consciência de retidão" e não de uma "consciência de pecado".*

Sob a Velha Aliança, os pecados das pessoas podiam ser cobertos pelo sacrifício do sangue de touros e de bodes. Mas a consciência do pecado nunca podia ser apagada. O pecado era coberto, mas não era retirado. Sob a Nova Aliança, os nossos pecados foram removidos completamente pelo sangue de Jesus, e até a consciência do pecado pode ser retirada, porque as nossas consciências foram limpas:

> Não por meio de sangue de bodes e de bezerros [para por meio deles fazer a reconciliação entre Deus e os homens], mas pelo seu próprio sangue, entrou no Santo dos Santos [do céu] uma vez por todas, tendo obtido eterna redenção [uma libertação duradoura para nós].

> Portanto, se o [mero] sangue de bodes e de touros e a cinza de uma novilha, aspergidos sobre os contaminados, os

santificam, quanto à purificação da carne, muito mais o sangue de Cristo, que pelo [Seu] Espírito eterno [a Sua própria personalidade divina pré-existente], a si mesmo se ofereceu sem mácula a Deus, purificará a nossa consciência de obras mortas, para servirmos ao Deus [eternamente] vivo! (Hebreus 9:12-14, AMP)

RELAXADOS NO ESPÍRITO

Qual é o homem que teme ao Senhor? Ele o ensinará no caminho que deve escolher. A sua alma pousará no bem. (Salmos 25:12-13, ARC)

Para vencer o vício da aprovação, precisamos estar confortáveis espiritualmente. Esta declaração pode parecer estranha, mas deixe-me explicar-lhes o que quero dizer.

Em 1980, tive um emprego como secretária do Pastor de minha igreja em St. Louis. Depois de um dia de trabalho, fui despedida. Sabe por quê? Porque eu não era uma secretária; assim, eu não podia fazer o que uma secretária faz. Eu sabia datilografar, e era uma mulher de negócios decente, mas aquilo não era o que Deus queria que eu fizesse. Não era parte do plano dele para a minha vida. Eu queria que aquele emprego desse certo porque era meu plano, mas Deus não permitiu porque Ele tinha outros planos para mim.

Se você quer viver infeliz, desconfortável e inseguro, simplesmente passe sua vida tentando fazer algo que não é a coisa certa para você. É como tentar calçar sapatos que não cabem em seus pés.

Certa vez, eu estava fazendo compras com uma amiga, e experimentei um par de sapatos de que realmente havia gostado. Eles eram tão bonitos que eu quis comprá-los, mas estavam um pouco apertados.

Minha amiga fez uma observação sábia. Ela me perguntou: "Eles são confortáveis?"

"Ah, servem bem."

"Mas eles são realmente confortáveis?" perguntou ela. "Porque se eles não forem realmente confortáveis, vão machucar seus pés".

"Você tem razão", disse eu. "Não vou comprá-los porque quero que eles sejam realmente confortáveis".

Pensei naquele incidente mais tarde quando estava tendo o meu tempo a sós com Deus, e disse a Ele: "Sabe, Senhor, quero estar confortável espiritualmente, assim como quero estar confortável com os sapatos que calço. Quero simplesmente estar relaxada no Espírito. Quero que a minha vida interior esteja à vontade."

Pense por um instante em qualquer filme sobre o exército que você tenha visto. Sempre chega a hora em que o sargento diz a todos os homens para ficarem em posição de sentido. Eles imediatamente ficam rígidos e duros em sua posição. Eles não se movem, e certamente não parecem relaxados. Depois de algum tempo, o oficial no comando diz: "Descansar!" e imediatamente todos relaxam. Creio que Deus está falando ao Seu povo e dizendo "Descansar!". Isto não quer dizer que toda a vida vai ser fácil, mas quer dizer que podemos fazer o que precisamos fazer na vida de uma forma descansada.

Cheguei a um ponto da minha vida em que queria estar relaxada quanto ao meu relacionamento com Deus e a minha caminhada com Ele. Eu queria estar à vontade em meio às pessoas e não ter medo da reprovação delas. Eu queria estar à vontade com os meus dons e com o meu chamado. Eu queria estar relaxada com tudo o que dizia respeito a mim. Eu queria desfrutar de Deus e não passar a maior parte do meu tempo com Ele com medo de que estivesse zangado por causa das minhas imperfeições.

> *Podemos fazer o que precisamos fazer na vida de uma forma descansada.*

Eu não queria mais estar com os nervos à flor da pele. Não queria mais ser atormentada pelo medo e pela insegurança, não queria ter uma necessidade de aprovação que não provinha de Deus – uma necessidade tão forte que eu faria praticamente qualquer coisa apenas para sentir que tinha a aprovação das pessoas. Eu não queria me sentir condenada por causa das minhas imperfeições.

Queria gostar de mim mesma e crer que eu tinha valor. Queria saber quem eu era em Cristo e quem Ele poderia ser através de mim se eu o permitisse. Eu queria a realidade da justiça, da paz, e da alegria que a Bíblia disse que eu poderia ter (Ver Romanos 14:17).

E quanto a você? Já teve tensão, desconforto e insegurança suficientes em sua vida? Está cansado de andar com os nervos à flor da pele? Está cansado de ter medo do que as pessoas pensam de você e do que elas podem estar falando a seu respeito? Você quer se sentir "à vontade"? Bem, você pode relaxar, sabendo que Deus o ama. Ele o aceita em Cristo, e Ele o aprova como Seu filho amado.

ENCONTRE A SIMPLICIDADE EM CRISTO

> Entretanto, receio que, assim como a serpente enganou Eva com a sua astúcia, também a vossa mente seja de alguma forma seduzida e se afaste da simplicidade que há em Cristo. (2 Coríntios 11:3, NKJV)

Crer em Deus é realmente simples, no entanto, nós complicamos muito as coisas. A Bíblia diz que devemos nos tornar como as criancinhas ou não entraremos no Reino de Deus (Ver Mateus 18:3). As crianças são simples. Elas geralmente acreditam no que os adultos em quem confiam lhes dizem. Elas não tentam entender tudo; elas apenas crêem. Hebreus 4 nos ensina que podemos entrar no descanso de Deus por meio da nossa fé (Ver v. 3). Diz que devemos ser zelosos e nos esforçar diligentemente para entrar no descanso de Deus. Devemos ter conhecimento dele e experimentá-lo por nós mesmos (Ver v. 11). Aqueles que entraram no descanso de Deus descansaram do desgaste e da dor de suas labutas humanas (Ver v. 10). Eles não estão com os nervos à flor da pele, ao contrário, estão relaxados, seguros e livres para serem eles mesmos.

Seja o que for que as pessoas pensem a nosso respeito, isto é entre elas e Deus e não cabe a nós estar preocupados com isso.

Podemos até entrar no descanso de Deus com relação ao que as pessoas pensam a nosso respeito, se elas nos aprovam ou não. Podemos nos tornar tão seguros em Cristo que, desde que saibamos que nosso coração está em retidão, sabemos que seja o que for que as pessoas pensem a nosso respeito, isto é entre elas e Deus e não cabe a nós estar preocupados com isso.

O apóstolo Paulo tinha esse tipo de confiança em Cristo. Em 1 Coríntios 4 vemos uma situação na qual Paulo estava sendo julgado com relação à sua fidelidade. Ele deixou muito claro que não estava nem um pouco preocupado com o que as pessoas pensavam a seu respeito, porque ele sabia quem era em Cristo:

> Todavia, a mim [pessoalmente] mui pouco se me dá de ser julgado por vós [nesta questão] ou por tribunal humano [que possa me investigar, questionar ou interrogar]; nem eu tampouco julgo a mim mesmo. (1 Coríntios 4:3, AMP)

DEUS ESTÁ DO NOSSO LADO

> Que diremos, pois, à vista destas [de todas estas] coisas? Se Deus é por nós, quem será contra nós?[Quem pode ser nosso inimigo, se Deus está do nosso lado?] (Romanos 8:31, AMP)

Segundo a carta de Paulo aos Romanos, Deus está a nosso favor. Também sabemos que Satanás está contra nós. A pergunta que devemos fazer é se vamos entrar em acordo com Deus ou com o diabo. Você já sabe a resposta. Pare de ficar contra si mesmo só porque Satanás está contra você!

É triste dizer, mas algumas vezes descobrimos que as pessoas também estão contra nós. Satanás trabalha tanto através de pessoas quanto de forma independente. Ele ataca a nossa confiança através das coisas que as pessoas dizem ou não dizem. Qual é a importância da opinião das pessoas para nós? Estamos pensando por nós mesmos, ou estamos sempre fazendo uso da opinião de todos os demais? Se a opinião, o julgamento e as atitudes das pessoas a nosso respeito às vezes são inspirados pelo diabo, em vez de concordar com o que elas pensam e dizem, devemos resistir a essas coisas.

Se sabemos que Deus está a nosso favor, então não devemos nos importar com o modo como nos sentimos, ou com o que as pessoas pensam a nosso respeito. Como diz a Bíblia, se Deus é por nós, quem pode ser contra nós? Se Ele está do nosso lado, o que podem nos fazer os outros?

> Assim afirmemos confiantemente: O Senhor é o meu auxílio, não temerei; que me poderá fazer o homem? (Hebreus 13:6).

A maioria de nós, até certo ponto, precisa ser liberta do temor dos homens. Precisamos ser completamente libertos de darmos importância ao que as pessoas pensam. As pessoas que sempre precisam da aprovação dos outros desesperadamente querem que todos olhem para elas da cabeça aos pés e digam: "Perfeito". Quando elas fazem qualquer tipo de trabalho, querem que todos olhem para ele e digam: "Perfeito". Em tudo que fazem – com relação à sua aparência, às coisas que dizem, a cada atitude que tomam – querem que as pessoas digam: "Perfeito".

Se estamos tentando ser perfeitos, vamos nos decepcionar – isso não vai funcionar, porque você e eu somos seres humanos imperfeitos. Mesmo se pudéssemos manifestar a perfeição, algumas pessoas ainda assim não estariam satisfeitas simplesmente porque são indivíduos infelizes, que nunca estarão contentes com nada até que mudem suas próprias atitudes. Precisamos entregar a nossa reputação a Deus e deixar que ele esteja no comando daqui para a frente.

NÃO TENHA MEDO DE SER NECESSITADO

Não sei quanto a você, mas eu sou uma pessoa muito necessitada. Todos os dias, digo ao Senhor: "Pai, estás olhando para uma mulher desesperada. Preciso de Ti, Senhor. Sem Ti, nada posso fazer".

Em 1 João 1:9, a Bíblia nos ensina que se admitirmos os nossos pecados e os confessarmos, Ele nos perdoará e nos purificará de toda injustiça. Comece admitindo livremente todos os seus erros. Não retenha nada. Admita-os diante de Deus e das pessoas. Não dê desculpas nem ponha a culpa em ninguém. Ao fazer isto, você experimentará uma nova liberdade, e o seu relacionamento com Jesus e com as pessoas sofrerá uma grande melhora. Descobri que se eu contar as pessoas os meus erros antes que elas os descubram por elas mesmas, nenhum de nós ficará tão incomodado com eles. Seja aberto com as pessoas. A maioria das pessoas respeita e admira a sinceridade e as pessoas abertas. É aquilo que tentamos esconder que volta para nos assombrar.

Convide Jesus para entrar em cada área da sua vida. Não pense que você precisa esconder seus erros dele – lembre-se, Ele já sabe tudo a respeito deles! Na verdade, o Senhor sabe mais a nosso respeito do que podemos nos lembrar ou do que jamais descobriremos, e Ele nos ama de qualquer forma. Entregue a Deus não somente o que você é, mas principalmente entregue a Ele o que você não é. É fácil oferecer a Ele os nossos pontos fortes, mas também devemos oferecer a Ele as nossas fraquezas porque a força dele se aperfeiçoa na nossa fraqueza. Não retenha nada; entregue tudo a Deus! O Senhor não vê somente o que somos neste instante, Ele vê aquilo que podemos nos tornar se Ele for paciente conosco. Ele sabe os planos que tem para nós, e eles são planos de progresso e sucesso, e não de derrota e fracasso (Ver Jeremias 29:11).

Uma confissão completa e perfeita de nossos pecados nos dá um sentimento bom, leve e suave. Pode ser comparado a um armário que esteve fechado por muito tempo e está cheio de sujeira e lixo. Após ser completamente limpo, o lixo jogado fora, a sujeira removida, e após a entrada do ar fresco, ele se torna um lugar agradável. Depois de confessarmos completamente os nossos pecados e recebermos o perdão de Deus por eles, podemos ficar em paz conosco, sentindo-nos leves e limpos.

UM NOVO E VIVO CAMINHO

> Tendo, pois, irmãos, intrepidez para entrar no Santo dos Santos, pelo sangue de Jesus, pelo novo e vivo caminho que Ele nos consagrou pelo véu, isto é, pela sua carne. (Hebreus 10:19-20)

Crer que somos justificados perante Deus por meio da nossa fé em Jesus Cristo é um novo e vivo caminho, um caminho que nos dá liberdade, ousadia e confiança. Tentar seguir a lei (tentando fazer tudo certo) para ganhar a aceitação ministra morte (todo tipo de miséria) a nós; mas Jesus nos oferece a Sua graça, que gera vida. A graça é o poder de Deus que vem a nós sem ônus para nos ajudar a fazer com facilidade o que nunca poderíamos realizar por nós mesmos. Com o homem, muitas coisas são impossíveis, mas com Deus todas as coisas são possíveis (Ver Mateus 19:26). A graça é libertadora! Ela coloca o fardo para executar em Deus, e não no crente. Como crentes em Jesus Cristo, nosso trabalho é crer enquanto Deus trabalha a nosso favor.

Não posso me tornar aceitável a todas as pessoas, nem você, mas podemos crer que Deus nos concederá favor junto às pessoas com quem Ele quer que nos envolvamos. Às vezes tentamos nos relacionar com pessoas com as quais Deus não quer nem mesmo que tenhamos qualquer ligação. Algumas das pessoas com quem me esforcei muito para fazer amizade no passado, geralmente comprometendo minha própria consciência para ganhar a aceitação delas, foram exatamente aquelas que me rejeitaram na primeira vez que não fiz exatamente o que elas queriam que eu fizesse. Agora entendo que eu queria a amizade delas pelos motivos errados. Eu era insegura e queria ser amiga das pessoas "populares", pois pensava que minha união com pessoas importantes me tornaria importante também.

Saber quem somos em Cristo nos liberta da necessidade de impressionar as pessoas. Quando sabemos quem somos, não precisamos andar excessivamente preocupados com o que as pessoas pensam a nosso respeito. A partir do momento que sabemos quem somos e aceitamos a nós mesmos, não temos mais nada a provar. Quando não temos nada a provar podemos relaxar e ficar à vontade em qualquer situação.

Você poderá observar nas Escrituras que Jesus nunca tentava se defender, independente da acusação que sofresse. Por quê? Porque Ele sabia a verdade a respeito de si mesmo, e isso era o importante para Ele. Jesus não era viciado na aprovação das pessoas; portanto, estava livre da tirania do que elas poderiam pensar ou dizer a respeito dele. Ele estava satisfeito com o conhecimento que possuía a respeito de si mesmo. Ele não precisava da aprovação de ninguém mais senão da aprovação do Seu Pai Celestial, e isso Ele sabia que tinha.

Os verdadeiros amigos não tentam controlar você. Eles o ajudam a ser o que Deus quer que você seja. Coloque a sua fé em Deus, e peça a Ele que lhe dê amigos que sejam os certos para você. Talvez você nunca tenha pensado em usar a sua fé para ter os amigos certos, mas Deus nos oferece uma nova forma de viver. Ele nos convida a viver por fé. Não existe uma única parte da sua vida a respeito da qual Deus não esteja interessado, e Ele quer estar envolvido em tudo que você deseja, precisa ou faz. Então, deixe-o entrar.

Saber quem somos em Cristo nos liberta da necessidade de impressionar as pessoas.

Romanos 14:23 (KJV) realmente declara que "tudo que não provém da fé é pecado". Esta é uma declaração forte, e eu o encorajo a meditar nela a fim de alcançar o seu pleno significado. *Tudo* o que fazemos deve ser feito por fé para ser aceitável a Deus. Por quê? Porque Ele sabe que a fé é a porta de entrada para desfrutarmos da vida, e é exatamente isso que Ele deseja para você e para mim (Ver João 10:10). Jesus disse que não podemos fazer *nada* sem Ele (Ver João 15:5). Devemos colocar a nossa fé no Senhor para nos ajudar a escolher bons amigos, assim como tudo o mais que nos diz respeito.

AS PESSOAS PODEM SER ATRAÍDAS A VOCÊ DE UM MODO SOBRENATURAL

Saber quem você é em Cristo o ajudará a ser confiante, e consequentemente, as pessoas serão atraídas a você. As pessoas se sentem confiantes quando estão com outras pessoas confiantes.

Como empregadora, percebi que quando peço às pessoas para fazerem uma tarefa e elas respondem com confiança, o meu próprio nível de confiança nelas também aumenta. Entretanto, se elas respondem de forma insegura ou temerosa, imediatamente começo a perder a confiança e a me perguntar se elas são as pessoas certas para o trabalho que preciso realizar. Sou fortalecida pela confiança dos outros e enfraquecida pela falta de confiança; assim, afetamos uns aos outros.

As pessoas procuram coisas nas outras pessoas que as façam se sentir melhores e seguras. Se eu subisse ao púlpito para ensinar a Palavra de Deus e parecesse não ter confiança, imediatamente as pessoas que me assistem perderiam a confiança em mim. Elas poderiam se perguntar "ela sabe o que está fazendo?" ou "como poderia nos ajudar se ela mesma parece insegura?" Satanás muitas vezes tentou roubar minha confiança enquanto eu estava ensinando, mas Deus me ensinou a permanecer firme nesta área. Ele me mostrou que se eu deixar Satanás roubar minha confiança, ele tomará o controle da conferência que estou dirigindo. Quando há uma perturbação na reunião, sempre me esforço para me manter calma e confiante. Sei que as pessoas seguirão a minha reação. Certa vez, um cano de água estourou durante uma conferência, e a água começou a jorrar em cima das pessoas que estavam em um determinado

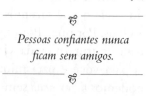

Pessoas confiantes nunca ficam sem amigos.

setor do prédio. Pude ver que a perturbação imediatamente assustou a todos, porque eles não conseguiam entender o que estava acontecendo. Permaneci calma e confiante enquanto colhia informações sobre o que estava se passando. Garanti às pessoas que elas estariam seguras. A minha confiança as manteve confiantes. Se eu tivesse ficado nervosa e temerosa, poderia ter havido uma saída em massa do prédio, e as pessoas poderiam ter se ferido.

Podemos liderar as pessoas com medo ou podemos liderá-las com confiança. Devemos ser confiantes, mas não devemos colocar a nossa confiança em nada que não seja o próprio Cristo. Saber qual é a nossa posição nele nos dá confiança, e consequentemente, as pessoas desejarão ter amizade conosco. Pessoas confiantes nunca ficam sem amigos. Por quê? Porque elas têm o que todos querem. Elas têm segurança e confiança, elas têm valor e dignidade.

Neste capítulo, discutimos acerca de sermos confiantes em quem somos e em como Deus nos vê. No próximo capítulo, eu gostaria que você desse uma olhada mais de perto em como é importante entendermos a nossa justificação diante de Deus – somente crendo e vivendo essa justificação é que podemos começar a desfrutar da libertação da desgraça que é o vício em aprovação.

CAPÍTULO

3

Conformando-se à Justiça

Quando aceitamos pela fé que somos a justiça de Deus (ver 2 Coríntios 5:21) e a recebemos pessoalmente, começamos a nos conformar com aquilo que cremos que somos. O fardo da insegurança é retirado de nós; não somos mais guiados pelo que as outras pessoas dizem ou pensam a nosso respeito. Mas a falta de entendimento sobre a justiça pode resultar no vício em aprovação e em outras formas de cativeiro que nos fazem infelizes e que impedem a nossa liberdade.

A *Bíblia Ampliada* (publicada somente nos Estados Unidos) descreve a justificação como *passarmos a ser justos diante de Deus e depois nos conformarmos consistentemente à Sua Palavra em pensamento, palavras e atos* (Ver Romanos 10:3). Em outras palavras, quando somos justos aos olhos de Deus, começamos a pensar o que é certo, falar o que é certo e a agir corretamente. É um *processo* no qual estamos progredindo continuamente. O Espírito Santo trabalha em nós, ajudando-nos a nos tornarmos a plenitude daquilo que o Pai deseja que sejamos em Cristo. O resultado do trabalho da justiça – que finalmente é visto nos pensamentos, palavras e ações certos – não pode ter início até que *aceitemos* a nossa posição de justos diante de Deus por meio de Jesus Cristo. O ponto de partida é o momento em que acreditamos que somos a justiça de Deus em Cristo, de acordo com 2 Coríntios 5:21. Uma vez mais, eu o encorajo a dizer em voz alta o que Deus diz a seu respeito em sua santa Palavra. Diga diariamente: "Sou a justiça de Deus em Cristo, e, portanto, posso ter um comportamento justo".

Vamos dar uma olhada no que significa pensar, falar e agir de forma justa aos olhos de Deus.

PENSE CERTO

Pergunte a si mesmo o que você crê a seu respeito. Você acredita que precisa ter a aprovação das pessoas para ser feliz? Se pensa assim, você nunca será feliz quando alguém o reprovar. Você acredita que tudo que faz está errado? Se pensa assim, continuará a ter um comportamento errado. O fruto da sua vida será aquilo que você acredita que é. Deus quer que nossas atitudes sejam justas, então Ele nos dá aquilo que precisamos para alcançar isto. Deus nos dá o fruto da justiça para que possamos nos tornar justos naquilo que pensamos, dizemos e fazemos! Embora tenhamos pecado, o dom gratuito da justiça de Deus não pode jamais ser comparado ao nosso pecado. O nosso pecado é grande, mas o dom gratuito da justiça de Deus é maior. O nosso pecado é absorvido pela justiça de Deus. A nossa justiça não se encontra no que as pessoas pensam a nosso respeito, ela se encontra em Cristo. Ele é a nossa justiça vinda da parte de Deus.

> Se pela ofensa (lapso, transgressão) de um e por meio de um só, reinou a morte, muito mais os que recebem a abundância da graça (favor imerecido) e *o dom (gratuito) da justiça* [de Deus, colocando-os na condição de justos aos olhos dele] reinarão em vida (como reis) por meio de um só, a saber, Jesus Cristo (o Messias, o Ungido) (Romanos 5:17, AMP).

Precisamos aprender a pensar na nossa justiça e acreditar nela.

FALE CERTO

As palavras são poderosas, portanto, leve-as a sério. As palavras podem ser a sua salvação, mas também podem ser a sua condenação (Mateus 12:37).

Uma das formas pelas quais aprendemos a falar o que é certo é tomando cuidado com o que dizemos a respeito de nós mesmos.

Durante muitos anos, convivi com uma jovem a quem chamarei Susan. Susan ama o Senhor, mas veio de um passado de abusos. Ela é muito insegura e é o tipo de pessoa que vive para agradar a todo mundo. Eu diria definitivamente que ela é uma pessoa viciada em aprovação. Susan deixa que as pessoas a dirijam a maior parte do tempo. As decisões dela são influenciadas pelo que as outras pessoas querem que ela faça em lugar do que o Espírito Santo quer que ela faça. Ela

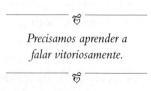

Precisamos aprender a falar vitoriosamente.

diz o que acha que as pessoas querem ouvir. Ela não segue o seu próprio coração. Susan frequenta a igreja, mas na verdade não ouve muitos ensinamentos sobre os princípios bíblicos que estou mencionando neste capítulo. Ela ouve muitos ensinamentos sobre leis, regras, regulamentos e doutrinas da igreja, mas nem de longe o bastante sobre como viver uma vida de vitória. Assim, ela não entende a importância das palavras, principalmente das suas próprias palavras. Ela não percebe que está sendo derrotada na vida por suas próprias palavras.

Quantos de nós fazemos o mesmo! Precisamos aprender a falar vitoriosamente. Precisamos aprender pela fé a dizer a respeito de nós mesmos o que Deus diz a nosso respeito em Sua Palavra.

AJA CERTO

Existem muitas igrejas que ensinam doutrina, e isso é bom. Todos nós precisamos do fundamento firme de uma doutrina boa e sólida. Mas juntamente com essa doutrina, também precisamos saber como viver a nossa vida. Se quisermos representar Jesus de forma adequada, precisamos andar em vitória. A Bíblia declara que somos mais que vencedores (Ver Romanos 8:37) e que iremos reinar em vida como reis através de Jesus Cristo (Ver Romanos 5:17). Se formos derrotados e não andarmos como vitoriosos, ninguém irá desejar o que temos. Mas quando somos vitoriosos, as pessoas vêem isso e desejam ter as mesmas vitórias em suas vidas. Explicando melhor, se quisermos que as outras pessoas aceitem Jesus devemos mostrar a elas que ter um relacionamento com Ele faz uma diferença real em nossa vida. Quando nos chamamos de cristãos e frequentamos a igreja, mas estamos sempre nos comportando mal, as pessoas acham que somos hipócritas e falsos. Deus nos deu o poder de fazer as escolhas certas e de manifestar um comportamento justo. A forma como agimos é importante!

O entendimento de que eu era uma cristã que tinha muito pouca vitória em minha vida foi o que me encorajou a buscar um relacionamento mais profundo com Deus. Isso aconteceu em 1976. Como cristã, eu sabia que havia sido salva pela graça e que iria para o céu quando morresse, mas eu não estava apreciando a jornada. Eu era infeliz, e tinha uma atitude negativa perante a vida. Seja qual fosse o efeito que estivesse exercendo sobre os outros, ele certamente não era positivo. Eu precisava de uma enorme mudança. Estava frequentando a igreja, mas não conhecia realmente a Palavra de Deus. Confiava nele para me levar para o céu, mas não para cuidar de tudo que dizia respeito a mim. Eu clamava por Ele em caso de emergência, mas não permitia que Ele entrasse na minha vida diária. Mas Deus tinha uma vida muito melhor para mim do que eu jamais havia sonhado, e Ele tem o mesmo para você.

Não se contente com menos do que o melhor que Deus tem a lhe oferecer. Você pode ter um relacionamento profundo, íntimo e pessoal com Deus por meio de Jesus Cristo. Você pode desfrutar da comunhão diária com Ele e andar em vitória enquanto atravessa esta vida. O Senhor deseja nos ensinar a viver, a pensar, a falar, e a agir para o nosso próprio bem e felicidade, assim como para glorificá-lo. Estes princípios são ensinados claramente na Bíblia. Quando estudamos

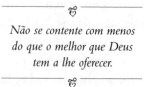

Não se contente com menos do que o melhor que Deus tem a lhe oferecer.

a Palavra diligentemente e permitimos que o Senhor abençoe a nossa vida com a verdade, não há limites para o que Ele pode nos mostrar. Somos os seus representantes pessoais na terra e precisamos representá-lo bem (Ver 2 Coríntios 5:20).

DOUTRINA X LIBERDADE

> Tu, porém, fala (ensina) o que convém (e é apropriado) à sã (benéfica) doutrina [o caráter e a vida justa que identificam os verdadeiros cristãos]. (Tito 2:1, AMP)

Frequentei a igreja por muitos anos e nunca ouvi uma mensagem sobre o poder que minhas palavras exercem sobre minha vida. Talvez eu tenha ouvido alguma coisa sobre os pensamentos, mas, se isso aconteceu, não foi o bastante para exercer qualquer impacto sobre minha vida, porque não mudou o meu modo de pensar. Ouvi sobre graça e salvação e outras coisas boas. Mas não foi tudo que eu precisava saber para viver na justiça, paz, e alegria que Deus oferece a todos os que crêem (Ver Romanos 14:17).

Existem muitas igrejas maravilhosas que ensinam a Palavra de Deus em sua totalidade e eu o encorajo a certificar-se de que, seja qual a for a igreja que você decida frequentar, seja um lugar onde você aprenda e cresça espiritualmente. Não devemos frequentar a igreja simplesmente para cumprir uma obrigação que talvez pensemos ter para com Deus. Devemos ir à igreja para termos comunhão com outros crentes em Jesus Cristo, para adorar a Deus, e para aprendermos a viver e desfrutar da vida que Jesus morreu para nos dar. Na Bíblia, somos chamados de sal e luz (Ver Mateus 5:13-16). Isso significa que as nossas vidas devem tornar as pessoas sedentas pelo que temos e trazer um holofote de luz para iluminar as trevas em que vivem.

Às vezes o ensino religioso não nos leva suficientemente longe. Ele fica somente no âmbito da doutrina. Às vezes, ficamos tão presos à doutrina da igreja e às regras e regulamentos que na verdade nunca recuperamos o poder, a vitória e a liberdade que Jesus morreu para nos dar. Por exemplo, aprendi a orar, mas nunca me disseram que eu poderia ir "com confiança" ao trono da graça. Não me ensinaram sobre a justificação por meio de Cristo; portanto, Tiago 5:16, que declara que há um tremendo poder que é disponibilizado quando um justo ora, não tinha qualquer efeito sobre minha vida. Eu tentava orar enquanto estava cheia de culpa e condenação. Eu tentava orar enquanto me sentia insegura e temerosa de que Deus não estivesse satisfeito comigo. Em consequência, minhas orações eram fracas e não muito eficazes. Eu aprendi o principal sobre a oração, mas não sobre o poder da oração disponível ao crente que entende a justificação.

E mais ainda, foi-me dada a impressão de que era espiritual sentir-se indigno e ver a mim mesma como uma pobre e miserável pecadora. Embora todos nós tenhamos pecado, não é "espiritual" nos sentirmos mal a respeito de nós mesmos, nem sermos inseguros – como se fôssemos pessoas más, terríveis e imprestáveis que nunca podem fazer nada certo. Eu me sentia assim sem Jesus, e acabei me sentindo do mesmo jeito depois de aceitá-lo como meu Salvador e Senhor. Isso estava errado.

É vontade de Deus – e, portanto, é espiritual e agradável a Ele – ver-nos em Cristo. Devemos crer que se nos arrependemos de nossos pecados e aceitamos Jesus como nosso Salvador, Ele nos deu a Sua retidão. Devemos andar nesta vida de cabeça erguida porque somos filhos de Deus e Ele nos ama.

A RELIGIÃO E A JUSTIFICAÇÃO

Algumas pessoas dentro da comunidade religiosa ficam contrariadas quando ouvem alguém como eu falar sobre justificação. Recebi mais críticas e julgamento de algumas pessoas religiosas sobre a questão da justificação do que sobre qualquer outra coisa que ensino. Fui acusada de dizer que não tenho pecados, o que nunca disse. Sei que faço coisas erradas; peco, mas não me concentro no meu pecado e não fico em constante comunhão com ele. Minha comunhão é com o Pai, o Filho, e o Espírito Santo (Ver 1 João 1:3 KJV). Uma vez que Deus fez provisão para os nossos pecados, peço a Ele que perdoe todos os meus pecados. Recebo o Seu dom do perdão, e depois continuo mantendo comunhão com Ele e servindo-o. Não creio que tenho de acrescentar a minha culpa ao Seu sacrifício. O sacrifício dele foi completo e perfeito, e nenhuma obra da minha carne poderá aperfeiçoar aquilo que Ele fez:

> Filhinhos meus, estas coisas vos escrevo para que não pequeis. Se, todavia, alguém pecar, temos Advogado junto ao Pai, Jesus Cristo, o Justo. (1 João 2:1)

Obviamente o nosso alvo deve ser não pecar. Mas se pecarmos, Deus já providenciou Jesus, que foi perfeito em nosso lugar. Ele se conformou à justiça em todas as áreas. Sucumbir a uma vida inteira de culpa é simplesmente outra forma de vício em aprovação. Achamos que estamos conquistando o perdão de Deus quando nos sentimos culpados. É a nossa forma carnal de "pagar" por nosso erro. As boas novas são que Jesus já pagou e podemos olhar para Ele e nos identificar com Ele quando precisamos de perdão. Jesus não morreu por nós para que tivéssemos uma religião. Ele morreu por nós para que pudéssemos ter um relacionamento íntimo com Deus por meio dele. Ele morreu para que os nossos pecados fossem perdoados e pudéssemos ocupar uma posição correta diante de Deus. Ele morreu para que pudéssemos chegar com ousadia diante do trono da graça em oração e ter as nossas necessidades atendidas.

VOCÊ ESTÁ TENDO COMUNHÃO COM DEUS OU COM O SEU PECADO?

O diabo tem prazer em nos lembrar diariamente todos os nossos erros do passado. Na segunda-feira, ele nos lembra dos erros de sábado e domingo; na terça-feira ele nos lembra dos pecados cometidos na segunda, e daí por diante. Certa manhã, eu estava passando meu tempo com o Senhor, pensando nos meus problemas e em todas as áreas onde eu havia falhado, quando de repente o Senhor falou ao meu coração: "Joyce, você vai ter comunhão comigo ou com os seus problemas?" É a nossa comunhão com Deus que nos ajuda e fortalece para vencermos os nossos problemas. Somos fortalecidos através da nossa união com Ele. Se passarmos o nosso tempo com Deus tendo comunhão com os nossos erros de ontem, nunca receberemos força para vencê-los hoje. Meditar em todos os nossos erros e fracassos nos enfraquece, mas meditar na graça de Deus e em Sua disposição para perdoar nos fortalece:

> Pois, quanto a ter morrido, de uma vez para sempre, morreu para o pecado, mas quanto a viver, vive para Deus *[em comunhão inquebrantável com Ele].*
>
> Assim também vós considerai-vos mortos para o pecado, mas vivos para Deus *[vivendo em uma comunhão inquebrantável com Ele]* em Cristo Jesus. (Romanos 6:10-11, AMP, ênfases da autora).

O nosso relacionamento e comunhão devem ser com Deus, e não com os nossos pecados.

Por quanto tempo você costuma ter comunhão com os seus pecados, fracassos, erros e fraquezas? Seja o tempo que for, é tempo perdido. Quando você pecar, admita isso, peça perdão, e depois continue a ter comunhão com Deus. A passagem das Escrituras acima diz que estamos vivos para Deus, vivendo em uma comunhão inquebrantável com Ele. Não permita que os seus pecados se interponham entre você e o Senhor. Mesmo quando você pecar, Deus ainda quer passar tempo com você, ouvir e responder as suas orações, e ajudá-lo em todas as suas necessidades. Ele quer que você corra *para* Ele, e não para *longe* dele!

O PECADO ACIDENTAL

> Todo aquele que é nascido de Deus não vive [deliberadamente e habitualmente] na prática do pecado; pois o que permanece nele é a divina semente [a natureza de Deus, o Seu princípio de vida permanece permanentemente

dentro dele]; ora, esse não pode viver pecando, porque é nascido de Deus. (1 João 3:9, AMP)

Gosto de colocar as coisas assim: eu costumava ser uma pecadora em tempo integral, que de vez em quando acidentalmente escorregava e fazia alguma coisa certa. Mas agora, que passei muitos anos desenvolvendo um relacionamento pessoal profundo com Deus e a Sua Palavra, eu me concentro em ser uma filha de Deus obediente em tempo integral. Ainda cometo erros, mas nem de longe tantos quantos cometi um dia. Ainda não estou como deveria estar, mas *graças* a Deus porque não estou como costumava estar.

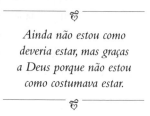

Ainda não estou como deveria estar, mas graças a Deus porque não estou como costumava estar.

Há vezes em que cometo erros acidentalmente, mas não é o desejo do meu coração errar. Não peco deliberadamente, conscientemente. Não peco habitualmente. Então não permito que essas ocasiões me deixem insegura. Não faço tudo certo, mas sei que a atitude do meu coração é certa.

Posso estar tendo um dia absolutamente maravilhoso, sentindo-me muito próxima ao Senhor e muito espiritual. Então meu marido, Dave, chega em casa e diz que não gosta da roupa que estou usando, e, de repente, fico zangada e na defensiva, dizendo a ele tudo que também não gosto a respeito dele.

Não é minha intenção que isso aconteça. Na verdade, desejo ser doce e submissa quando ele chega em casa. Mas, como Paulo disse em Romanos 7, as coisas que quero fazer, não faço, e as coisas que não quero, acabo fazendo. Sinto-me tão feliz por Deus ver o nosso coração e não os nossos pecados!

Sou como o homem que ficava deitado na cama orando: "Querido Senhor, até agora no dia de hoje não fiz nada de errado. Mas dentro de alguns minutos vou me levantar, e depois disso vou precisar muito de ajuda". Ou, como gosto de dizer, não tenho dificuldades para me relacionar com pessoas quando não há ninguém em casa a não ser eu!

Planejamos ter um comportamento correto porque nossos corações são justos, mas, assim como Paulo, nossos planos nem sempre funcionam. Graças a Deus por Sua misericórdia que se renova a cada manhã (Ver Lamentações 3:22-23).

COMPETIÇÃO

Só porque você é cristão, não significa que vai fazer tudo certo o tempo todo. Mas porque você foi justificado diante de Deus, pode parar de se comparar a todo mundo e de competir com todo mundo. A nossa aceitação não está em sermos como todo mundo, mas em sermos quem somos por meio da fé em Cristo. Seja o melhor "você" que você puder! Não procure alguma outra pessoa na igreja que você considera a "Irmã Super Crente" ou o "Irmão Santo", alguém que parece ter tudo que é preciso, para tentar fazer o máximo possível para ser como eles. Pode ser que eles tenham um lado totalmente diferente que só mostrem em casa.

Todos nós temos a nossa bagagem que tentamos esconder em público. Apesar do quanto possamos parecer maravilhosos aos olhos dos outros, todos cometemos erros. Você não é pior do que ninguém. Você tem pontos fortes e fracos, e faz coisas certas e coisas erradas. Você peca, assim como todos pecam. E pecado é pecado, apesar da sua natureza ou magnitude. Não importa o quanto nos esforcemos, nenhum de nós será completamente perfeito nesta vida, mas não sermos perfeitos em tudo que fazemos não significa que não temos dignidade ou valor.

Você é especial – único – e isso significa que só existe um de você, com as imperfeições e tudo o mais. Meu marido tem um espaço entre seus dois dentes da frente. Há algum tempo, falamos sobre corrigir isso. Depois de pensar a respeito, eu disse a ele que preferia que deixasse o espaço ali, porque é parte dele, e gosto dele do jeito que ele é. O mundo pode considerar isso um defeito, mas para mim, é simplesmente Dave. Nossos filhos pensam o mesmo.

Competir com os outros e nos compararmos com eles só pode gerar duas coisas: uma atitude de orgulho por nos considerarmos melhores do que os outros, ou uma atitude de insegurança por considerarmos os outros melhores do que nós. Estas duas atitudes não provêm de Deus e devem ser evitadas.

De acordo com as Escrituras, Jesus quebrou a parede de separação entre as pessoas (Ver Efésios 2:14). Nenhum de nós tem nenhum valor exceto o que temos em Cristo. Os nossos pontos fortes provêm dele como dons, e não podemos receber o crédito por eles. Os nossos pontos fracos são cobertos por Sua graça, e só podemos agradecer-lhe por isso. E se os nossos pontos fortes são dons de Deus, então é um despropósito julgarmos o nosso valor comparando-nos aos outros. Se

> *Não importa o quanto nos esforcemos, nenhum de nós será completamente perfeito nesta vida.*

Deus concede os dons, certamente não devemos nos sentir inferiores apenas porque ELE não nos deu os mesmos dons que deu a outra pessoa. Todos temos dons, mas eles diferem entre si (Ver Romanos 12:3-8).

Nas Escrituras, vemos um exemplo no qual os discípulos de João Batista se sentiram ameaçados pela popularidade do ministério de Jesus. Eles foram até João e disseram: "Todos estão indo ao encontro dele". A resposta de João deveria ser analisada com seriedade por todos aqueles que sentem a necessidade de se comparar aos outros, ou de comparar os seus dons e habilidades com os dos outros:

> Respondeu João: O homem não pode receber coisa alguma [não pode reivindicar nada, não pode tomar nada para si] se do céu não lhe for dado. [O homem deve se contentar em receber o dom que lhe é dado do céu; não há nenhuma outra fonte]. (João 3:27, AMP)

João sabia o que havia sido chamado para fazer, e ele estava fazendo isso. Ele não se sentia ameaçado por ninguém que parecesse ser maior ou melhor do que ele. Ele sabia que só era responsável por ser o melhor que pudesse ser. João não era responsável por ser ninguém mais, nem mesmo por ser como ninguém mais.

Às vezes procuramos ser como os outros, esperando ganhar a aprovação deles. Precisamos nos lembrar que a aprovação de Deus é o que realmente precisamos, e que a teremos, desde que busquemos a vontade dele para as nossas vidas. Deus nunca nos ajudará a ser ninguém mais além de nós mesmos. Creio que o Espírito Santo se entristece quando competimos com os outros e nos comparamos a eles. Ele quer que sejamos nós mesmos e que gostemos de quem somos.

Lembre-se que você não precisa ser como ninguém para ser aceito. Os padrões do mundo não são os padrões de Deus. O mundo pode dizer que você precisa ser como esta pessoa ou aquela, mas a vontade de Deus é que você seja você mesmo.

Passei muitos anos tentando ser como outra pessoa; meu marido, minha vizinha, a esposa do meu pastor, etc. Fiquei tão confusa que perdi de vista a pessoa que eu era. Foi um grande dia de vitória para mim quando finalmente entendi que Deus só queria que eu fosse eu mesma, que Ele havia me criado com as Suas próprias mãos no ventre de minha mãe, que eu não era um erro, e que podia comparecer diante dele como alguém especial, sem precisar me comparar aos outros.

> *Os padrões do mundo não são os padrões de Deus.*

Jesus é o nosso padrão, e não qualquer outra pessoa. Se você vai procurar ser como outra pessoa, que seja como o próprio Jesus. Ele é a nossa justiça. Então, abrace esta justiça, que produz sentimentos de que somos justos em vez de errados, e comece a viver livre da insegurança.

Agora, vamos dar uma olhada em como é importante ter um sentimento de valor para vencermos o vício da aprovação.

CAPÍTULO 4

Mudando a Sua Autoimagem

Porque, como imagina em sua alma, assim ele é.
(Provérbios 23:7)

Deus quer ajudá-lo a mudar a sua autoimagem. A sua autoimagem é o autorretrato que você leva dentro de si. Você pode carregar retratos de seu cônjuge, de seus filhos, de seus netos, ou de outra pessoa na sua bolsa ou carteira. Se alguém disser: "Deixe-me ver um retrato da sua família", você abre a carteira e mostra essas fotografias. Mas e se eu lhe dissesse: "Deixe-me ver o retrato de si mesmo que você leva em seu coração?" O que eu veria?

Acho interessante o fato de que muitas pessoas nem sabem que não gostam de si mesmas até que eu chame a atenção delas para esse fato. Ao longo dos anos, convenci-me de que uma grande parcela dos problemas das pessoas tem origem na forma como elas se sentem a respeito de si mesmas. É por isso que algumas pessoas se tornam viciadas na aprovação dos outros, sempre precisando agradar a todos para se sentirem felizes e seguras. É por isso que algumas pessoas são tão competitivas que não conseguem nem mesmo desfrutar do prazer de jogar jogos simples. A atitude delas é: "Tenho que vencer". Para sentirem que têm valor, elas precisam ser as primeiras ou as melhores.

Muitas pessoas se esforçam para estar no primeiro lugar. Porém Jesus disse que os últimos serão os primeiros, e que os primeiros serão os últimos (Ver Mateus 19:30). Ele estava se referindo aos crentes gentios que seriam recebidos por Ele antes dos judeus incrédulos, mas creio que esta passagem das Escrituras pode se aplicar àqueles que tentam vencer sem a Sua ajuda. O Salmo 75:6-7 diz que a verdadeira promoção vem de Deus. Podemos manipular as circunstâncias e as pessoas para alcançarmos uma promoção, mas nunca ficaremos inteiramente felizes com ela. Aprendi por experiência própria que se eu tiver de ser falsa e fingir e manipular para conseguir alguma coisa, terei de fazer o mesmo para mantê-la. Finalmente, nos cansamos de viver assim, mas acabamos presos em uma armadilha da qual não sabemos como nos libertar.

O PODER DA POSIÇÃO

Às vezes, achamos que se ocuparmos uma determinada posição, isso nos dará poder, quando, na verdade, a posição é que pode terminar exercendo poder sobre nós.

Lembro-me muito bem do tempo em que eu desejava ocupar um determinado cargo em uma igreja em que frequentava. Sabia que para ter aquele cargo eu teria de ser amada e aceita por um certo grupo de pessoas que tinham poder para votar em mim ou não. Eu fazia todos os cumprimentos corretos, enviava presentes e fazia convites para jantares. Fazia e dizia todas as coisas certas por vezes seguidas, até que finalmente consegui o que achava que queria. Depois de conseguir o cargo, descobri que se não deixasse aquelas pessoas me controlarem, elas poderiam ser muito vingativas. Havia uma mensagem silenciosa que dizia: "Nós colocamos você nessa posição, e se você quiser mantê-la, é melhor nos deixar satisfeitos".

Até que aceitemos e aprovemos a nós mesmos, nenhuma aprovação vinda dos outros nos fará sentir permanentemente seguros.

Eu queria aquele cargo porque naquela época eu precisava dele para me sentir valorizada e importante, porém ele terminou fazendo com que eu me sentisse infeliz e manipulada. Aquilo que conquistamos por meio das obras da nossa carne, teremos de manter do mesmo modo como ganhamos. Assim que fiz algumas coisas que aquelas pessoas não gostaram, todas elas me rejeitaram. Todo o nosso relacionamento era falso; elas não gostavam realmente de mim nem se importavam comigo, e eu realmente não gostava delas nem me importava com elas.

Aquela posição não faria com que eu me sentisse permanentemente segura e aceita, porque o meu verdadeiro problema estava "dentro" de mim e não nas minhas circunstâncias. Eu não precisava de uma posição; eu precisava de uma revelação do amor incondicional de Deus. Eu precisava buscar a aprovação de Deus e não a aprovação do homem.

Até que aceitemos e aprovemos a nós mesmos, nenhuma aprovação vinda dos outros nos fará sentir permanentemente seguros. A aprovação externa que buscamos se torna um vício. Trabalhamos para conquistar a aprovação ou um elogio e nos sentimos bem por pouco tempo, e depois sentimos que precisamos de outro, outro e mais outro. A verdadeira liberdade nunca chega até que percebamos que não precisamos nos esforçar para conseguir dos homens o que Deus nos dá gratuitamente: amor, aceitação, aprovação, segurança, dignidade e valor.

O mundo está cheio de fingimento e, é triste dizer, a igreja não está imune a isso. As pessoas na igreja jogam os mesmos jogos tolos que jogam no mundo. Elas rivalizam por posição e poder motivadas por razões totalmente erradas.

Eu tinha uma autoimagem negativa, então, tentava melhorar minha imagem por meio da posição, mas o que realmente precisava era saber que eu era valiosa para Deus como pessoa, totalmente independente da minha posição na vida. Sou a presidente dos *Ministérios Joyce Meyer*, um ministério mundial com oito escritórios no exterior além do escritório dos Estados Unidos. Minha posição parece importante, mas aprendi com a experiência passada a não permitir que meu senso de valor e dignidade fique atrelado àquilo que faço. Se um dia acontecer de que eu não faça mais o que faço hoje, quero ter a certeza e a confiança de que ainda sou igualmente valiosa para Deus independente do meu trabalho.

Eu o encorajo a não permitir que o seu valor seja atrelado a uma posição. As posições podem ir e vir, mas Deus e Seu amor por você permanecem. Deus não se impressiona com as posições que as pessoas ocupam (Ver Gálatas 2:6). O ponto principal é: se sabemos quem somos em Cristo, podemos ter uma autoimagem saudável independente da nossa posição ou do título do nosso cargo.

Também ocupei uma posição em outra igreja em St. Louis, Missouri, durante muitos anos. Quando Deus me disse que era hora de deixar aquele cargo e dar início ao meu próprio ministério, tive dificuldades para obedecer. Na verdade, não obedeci por um bom tempo, e quanto mais eu permanecia em desobediência, mais infeliz me tornava. Eu gostava da minha posição. Tinha um título, uma vaga de estacionamento com meu nome, um lugar garantido na primeira fila da igreja, e a admiração de todos. Eu estava "inserida no contexto". Eu sempre sabia o que estava acontecendo. Na verdade, eu não percebia o quanto dependia da posição que ocupava para me sentir segura até Deus me dizer para me afastar dela.

Finalmente, obedeci a Deus, mas fui profundamente abalada pelos sentimentos que experimentei depois que deixei o cargo. Ainda frequentava aquela igreja, mas me sentia realmente fora de lugar toda vez que participava de um culto. O meu lugar e a minha vaga no estacionamento haviam sido dados a outra pessoa, eu não sabia mais nada sobre todas as coisas que estavam acontecendo, e não sabia mais qual era o meu lugar. Deus precisou me ensinar que o meu lugar é nele, e que desde que eu saiba disso, não preciso me sentir desconfortável em lugar nenhum nem em relação a ninguém.

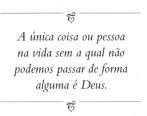

A única coisa ou pessoa na vida sem a qual não podemos passar de forma alguma é Deus.

Você já sentiu como se todos os apoios da sua vida tivessem sido retirados de debaixo de você? Se isto já lhe ocorreu, leve em consideração que Deus pode estar lhe fazendo um imenso favor. Às vezes, somos sustentados por pessoas ou por posições, e a única forma de percebermos isso é quando essas coisas são retiradas. Um apoio é algo que sustenta outra coisa no lugar, algo que a torna segura. Deus quer que a nossa segurança esteja nele, e não nas coisas. Ele é a única coisa nesta vida que não é instável, a única coisa certa e segura. Deus permite que tenhamos alguns apoios em nossa vida enquanto estamos criando raízes nele, mas Ele finalmente acaba por retirar todas as coisas nas quais colocamos uma dependência excessiva. A princípio, isso nos assusta, mas por fim acaba sendo a melhor coisa que poderia nos acontecer. Quando não temos mais ninguém, desenvolvemos um relacionamento profundo com Deus que nos ajudará a atravessar qualquer coisa que a vida coloque diante de nós.

Se você sente neste instante que perdeu algo ou alguém sem o qual absolutamente não pode viver, você está errado. A única coisa ou pessoa na vida sem a qual não podemos passar de forma alguma é Deus. Ele é a nossa Força, a nossa Fortaleza em tempos de angústia, a nossa Torre Forte, o nosso Esconderijo, e o nosso Refúgio (Ver Salmos 9:9; 31:4; 32:7; 37:39; 46:11).

Quando perdi meus amigos, e depois quando perdi minha posição na igreja, sofri tanto emocionalmente que achei que não sobreviveria. Esses acontecimentos finalmente me ajudaram a perceber que eu dependia demais das pessoas e da opinião que elas tinham a meu respeito. Eu dependia da minha posição e achava que se tivesse um cargo alto na igreja as pessoas pensariam bem a meu respeito e me aceitariam. Deus retirou tudo aquilo e ensinou-me as coisas que espero ensinar-lhes neste livro. A nossa dignidade e valor, a nossa aceitação e aprovação, vêm dele. Se tivermos isso, teremos a coisa mais preciosa do mundo.

Quando precisamos ter o que o mundo oferece para nos sentirmos bem acerca de nós mesmos, geralmente Deus irá reter isso. Quando não precisarmos mais dessas coisas, então Ele pode dá-las a nós, porque elas já não nos dominarão mais. Agora tenho amigos, influência, posição, autoridade, aceitação, etc., mas a chave para manter estas coisas é saber, sem sombra de dúvida, que não preciso tê-las para ser feliz e realizada.

Estou convencida de que quando colocamos o Senhor no primeiro lugar de nossas vidas, Ele nos dá tudo o mais. Entretanto, se permitirmos que qualquer outra coisa ocupe o Seu lugar, Ele ficará com ciúmes e a removerá.

ENCARE A VERDADE E SEJA LIVRE

> E conhecereis a Verdade, e a Verdade vos libertará. (João 8:32)

Acho interessante o fato de que só existe uma coisa que nos liberta, que é a verdade. No entanto, essa é a única coisa com a qual temos dificuldade de lidar. Não nos importamos tanto de encarar a verdade sobre qualquer outra pessoa, mas quando se trata de encarar a verdade a respeito de nós mesmos, a história é outra.

Foi difícil encarar o fato de que minha segurança estava atrelada à posição que eu ocupava. Foi difícil dizer naquela época: "Sou insegura, não gosto de mim mesma, e preciso da ajuda e da cura de Deus para esta área da minha vida". Mas como sempre digo, há dois tipos de dor no mundo: a dor de nunca mudar, e a dor da mudança. Se tivesse me recusado a encarar a verdade, ainda estaria em cativeiro. Ainda estaria tentando agradar as pessoas, viciada na aprovação delas para manter uma posição da qual eu provavelmente nem mesmo gostasse. Do jeito que as coisas estão agora, sinto-me livre. Sei quem sou em Cristo independente do que faço. Quero agradar às pessoas, mas não fico arrasada se elas não estiverem satisfeitas comigo. Desde que eu saiba que meu coração está correto, isto basta. Se estou fazendo o melhor que posso e as pessoas não aprovam, aquilo que elas pensam terá de ficar entre elas e Deus.

Quero ter aprovação – ninguém quer ser reprovado – mas não sou viciada nisso. A aprovação é algo que aprecio muito, mas se tiver de viver sem ela, posso fazê-lo. Passei pela dor de encarar a verdade e mudar, e isso me trouxe liberdade. O único caminho para fora do cativeiro é passarmos por aquilo que temos de passar.

Eu o encorajo firmemente a tomar cuidado para não permitir que nada se torne mais importante para você do que deveria. Mantenha Deus em primeiro lugar para que Ele possa abençoá-lo com outras coisas que você deseja. Com diz a Palavra em Mateus 6:33: "Buscai, pois, em primeiro lugar, o seu reino e a sua justiça, e todas estas coisas vos serão acrescentadas".

FRACASSAR NÃO FAZ DE VOCÊ UM FRACASSO

Não se veja como um fracasso só porque você falhou em algumas coisas no passado. Ninguém é bom em tudo. Não permita que o retrato que você carrega de si mesmo, a sua autoimagem, seja desfigurada pelos erros passados. Às vezes, a única forma de descobrir o que está reservado para fazermos na vida é saindo e tentando algumas coisas. O processo de eliminação em geral é útil, mas podemos cometer alguns erros durante o processo.

Quando estava buscando a vontade de Deus para a minha vida no ministério, tentei trabalhar no berçário. Não demorou duas semanas até que eu soubesse que aquele não era o meu ministério. Eu soube disso, e as crianças também. Também tentei o ministério de evangelismo nas ruas, e embora eu o tenha feito, sentia-me muito desconfortável e na verdade não gostava nem um pouco de exercê-lo. Inicialmente, senti-me culpada por não querer sair às ruas e falar às pessoas sobre Jesus, porém mais tarde percebi que se Deus tivesse desejado aquele tipo de ministério para mim, Ele me teria dado um dom e um desejo naquela área. Mencionei anteriormente que meu primeiro emprego em uma igreja foi como secretária do Pastor, e que fui despedida no primeiro dia. Apenas porque fracassei naquele emprego, isso não quer dizer que sou um fracasso; segui em frente e me tornei uma pessoa de muito sucesso.

Às vezes, a única forma de descobrir o que está reservado para fazermos na vida é saindo e tentando algumas coisas.

DEIXANDO O SEU PASSADO PARA TRÁS

Muitas pessoas deixam que seu passado dite o seu futuro. Não faça isto! Deixe o seu passado para trás. Todos nós temos um passado, mas todos nós temos um futuro. A Bíblia nos ensina, em Efésios 2:10, que fomos recriados em Cristo Jesus para realizarmos as boas obras que Ele planejou de antemão, a fim de que vivêssemos a vida abundante preordenada e preparada para nós. A palavra *'recriados'* indica que fomos criados, estragamos tudo, e precisamos de conserto. Em Jeremias 18:1-4, lemos a respeito do oleiro que teve de refazer o seu vaso porque ele havia se estragado. Esta imagem diz respeito a nós, nas mãos do Senhor, o Oleiro Mestre.

A Bíblia diz que somos novas criaturas quando entramos em um relacionamento com Cristo. As coisas velhas já passaram. Temos a oportunidade de um novo começo e nos tornamos um novo barro espiritual com o qual o Espírito Santo pode trabalhar. Deus prepara as coisas para que cada um de nós tenha um novo começo, mas precisamos estar dispostos a abandonar o passado e seguir em frente. Abrimos caminho para o novo *crendo* no que Deus diz a respeito disto:

> Eu é que sei que pensamentos (e planos) tenho a vosso respeito, diz o Senhor; pensamentos de paz (e bem-estar) e não de mal, para vos dar o fim que desejais (para vos dar um futuro e uma esperança). (Jeremias 29:11, AMP)

Satanás quer que tenhamos uma atitude negativa e percamos a esperança, mas a Palavra de Deus diz que devemos ser "prisioneiros da esperança":

> Voltai à fortaleza [de segurança e prosperidade], ó *presos de esperança*; também, hoje, vos anuncio que tudo vos restituirei em dobro (a sua antiga prosperidade). (Zacarias 9:12, AMP, ênfase da autora)

Nunca deixe de ter esperança. Romanos 4 nos ensina que

Abraão não tinha nenhuma razão humana para esperar que a promessa de Deus fosse se cumprir, mas ele continuou esperando pela fé. Esta passagem nos diz que nenhuma dúvida ou incredulidade fez com que ele hesitasse com relação à promessa de Deus, mas ele se fortaleceu louvando e dando glória a Deus. Abraão permaneceu sendo positivo e esperançoso, e sabemos com base na Bíblia que ele recebeu a bênção prometida, um filho. Não permita que os seus erros passados o deixem sem esperança quanto ao seu sucesso futuro. Não existe lugar no seu futuro para os erros do passado. Como mencionei, o fato de você ter falhado em algumas coisas não significa que você é um fracasso.

O que quer que Satanás tenha roubado por meio do engano, Deus restituirá em dobro, se você estiver disposto a prosseguir para o alvo, esquecendo o passado. E para prosseguir você precisa deixar algumas coisas para trás!

PESSOAS QUE TÊM UM PASSADO

Maria Madalena era uma mulher que tinha um passado. Ela havia vendido o seu amor e cobrado por hora; ela era uma prostituta. Era chamada pelos fariseus de "grande pecadora" (Ver Lucas 7:37). Maria era chamada de Madalena porque vinha de Magdala, uma cidade que não tinha nada de notável. Da cidade natal de Jesus, Nazaré, o povo disse: "De Nazaré pode sair alguma coisa boa?" (João 1:46). Faço menção destes dois exemplos para lhe mostrar que Deus nem sempre escolhe pessoas vindas de lugares populares, com muitas habilidades ou um passado brilhante.

Em Lucas 7:36-50, vemos o relato de Maria ungindo os pés de Jesus com um vaso de um perfume muito caro, lavando-os com as suas lágrimas, e secando-os com os seus cabelos. Como era uma prostituta, o perfume provavelmente era um presente de um de seus clientes, ou havia sido comprado com o dinheiro que ela havia conseguido através da sua profissão. Em certa ocasião, Jesus expulsou dela sete demônios (Ver Lucas 8:2). O ato de amor desta mulher foi visto por outras pessoas como algo erótico, por causa do seu passado, mas Jesus sabia que aquele era um ato de puro amor.

Quando temos um passado desagradável, as pessoas geralmente julgam mal as nossas atitudes, e acabamos ficando presos ao jogo da aprovação, tentando convencer os outros de que somos aceitáveis. As pessoas não esquecem nosso passado tão facilmente quanto Deus o esquece. Os fariseus não podiam entender o fato de Jesus permitir que Maria o tocasse. Jesus disse que aqueles a quem muito foi perdoado, muito amam (Ver Lucas 7:47). Maria conhecia bem o seu passado; ela amava tanto Jesus porque Ele a havia perdoado por seus grandes pecados. Ela queria dar a Ele a coisa mais valiosa que possuía; ela queria servi-lo. Ele viu o coração dela, e não o seu passado.

Maria demonstrou humildade pelo fato de estar aos pés de Jesus. Alguns querem estar à altura da cabeça de Jesus, mas nem todos estão buscando ajoelhar-se aos Seus pés. Muitos querem saber o que Ele sabe, estar por dentro dos planos e ocupar posições de liderança. A nossa posição não impressiona Deus, mas a nossa postura sim. Qual é a sua postura?

Maria viajou com Jesus em Seu ministério e sustentou-o com suas propriedades e seus bens pessoais (Ver Lucas 8:2-3).

É possível que a riqueza dela fosse proveniente do seu passado. Você pode ter coisas utilizáveis provenientes do seu passado – experiência, alguma sabedoria adquirida, ou até alguns bens materiais – que hoje podem ser usados a favor do reino.

Maria estava na crucificação de Jesus (Ver João 19:25). Ela não desapareceu quando as coisas apertaram. Ela ficou com Ele até o fim. Maria foi até o túmulo e encontrou-o vazio (Ver João 20:1-13). As primeiras palavras que foram ditas junto ao túmulo vazio foram ditas a uma mulher. O anjo disse: "Ide, depressa, e dizei aos Seus discípulos que Ele ressuscitou dos mortos" (Mateus 28:7). Jesus encontrou Maria enquanto ela estava indo, e quando ela o reconheceu, abraçou Seus pés e o adorou. Ele disse: "Ide avisar a meus irmãos que se dirijam à Galiléia e lá me verão" (vv. 9-10).

Os pontos principais que gosto de destacar nessa estória são: Maria era uma mulher que tinha um passado, Jesus a perdoou, e ela certamente tinha um futuro maravilhoso. Tem-se falado a respeito dela em todas as gerações desde Cristo, e as estórias de sua vida nos dão muitos exemplos riquíssimos que podem ser aplicados à nossa própria vida. Maria poderia ter sucumbido ao vício por aprovação e passado a vida infeliz, mas colocou sua confiança em Jesus e abraçou sua nova vida nele.

Deus irá nos usar se tivermos um passado? Na verdade, não estou certa de que Ele possa nos usar se não tivermos algum tipo de passado. Adquirimos experiência através das coisas que passamos. Muito dos meus ensinos vêm do meu passado. Tenho um passado, apliquei a Palavra de Deus a ele, e estou desfrutando do futuro que Deus me prometeu.

Vamos dar uma olhada em mais algumas pessoas que tinham passados questionáveis – e que ainda assim Deus usou poderosamente.

PEDRO

Pedro era um homem que tinha um passado. Ele não era ninguém especial; era apenas um pescador, e um homem bastante rude e bruto. Pedro era ousado e não tinha medo de mudanças, mas também tinha muitos defeitos. Em Mateus 16:22-23, vemos Pedro tentando corrigir Jesus. Em Mateus 26:31-35, vemos que Pedro tinha uma ideia a respeito de si mesmo muito acima do que deveria. Ele tinha um problema de orgulho e se via como se fosse melhor do que os outros homens. Em Mateus 26:69-75, está relatado que Pedro negou até mesmo conhecer Jesus.

Quando Pedro percebeu a profundidade do seu pecado, chorou amargamente, o que demonstrou que ele tinha um coração arrependido (v. 75). Deus é misericordioso e compreende as nossas fraquezas. Em Marcos 16:1-7 aprendemos que quando Jesus enviou a mensagem aos Seus discípulos de que Ele havia ressuscitado dos mortos, seu mensageiro, o Anjo, mencionou Pedro especialmente pelo nome, dizendo: "Dizei a seus discípulos e a Pedro que Ele vai adiante de vós para a Galiléia" (v.7). Posso simplesmente

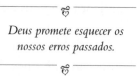
Deus promete esquecer os nossos erros passados.

imaginar a alegria que Pedro sentiu quando lhe disseram que Jesus havia lhe enviado uma mensagem pessoal. Pedro havia sido incluído nos planos de Deus para o futuro embora tivesse um histórico de tolice e fracasso. Pedro havia negado a Cristo, e, no entanto, ele se tornou um dos apóstolos mais conhecidos. Pedro poderia ter passado toda sua vida se sentindo mal por ter negado a Jesus, mas resolveu deixar aquele fracasso para trás e tornou-se valioso para o reino de Deus. Ele tinha tanto poder do Espírito Santo que quando a sua sombra caía sobre as pessoas, elas eram curadas! (Ver Atos 5:15)

Deus está disposto a perdoar aqueles que cometem erros, mas eles devem estar dispostos a receber o Seu perdão. Eles também precisam perdoar a si mesmos. Deus promete esquecer os nossos erros passados (Ver Jeremias 31:34), por isso, pare de se lembrar do que Deus já esqueceu!

JACÓ

Jacó era um homem com um passado. Ele havia sido manipulador, trapaceiro e usurpador. Era um mentiroso e também um egoísta, e às vezes era totalmente cruel com os outros. Jacó tirava vantagem das pessoas para obter o que queria. Ele aproveitou-se do estado de fraqueza de seu irmão Esaú e roubou o seu direito de primogenitura. Ele mentiu para seu pai, fingindo ser Esaú, para receber a oração da bênção que pertencia ao primogênito.

A Bíblia ensina que colhemos o que plantamos (Ver Gálatas 6:7), e com certeza chegou o tempo na vida de Jacó quando ele recebeu por parte de seu tio Labão um tratamento semelhante ao que havia dado a outros. Labão enganou Jacó, que queria casar-se com sua filha, Raquel, prometendo-lhe que ele poderia fazê-lo se trabalhasse durante sete anos como forma de pagamento por ela. Depois que os sete anos de trabalho se completaram, Jacó esperava receber Raquel, mas em vez disso, foi-lhe dada sua irmã, Lia. Então disseram que ele teria de trabalhar mais sete anos por Raquel. Tenho certeza de que Jacó sentiu-se enganado, trapaceado e tratado injustamente. Ele provavelmente não se lembrou de que havia tratado as pessoas da mesma forma em diversas ocasiões. Sim, nós colhemos o que plantamos. O que vai, volta.

Finalmente, o coração de Jacó foi transformado. Ele se cansou de fugir e se esconder de seu irmão Esaú. Jacó finalmente deixou tudo que tinha e retornou em direção à sua terra natal. No caminho, ele começou a lutar com Deus. Estava determinado a receber uma bênção de Deus, não importando o quanto isso lhe custasse. Deus mudou o nome de Jacó, que significava usurpador, manipulador e trapaceiro, para Israel, que significa *aquele que luta com Deus* (Ver Gênesis 32:27-28). Jacó seguiu em frente e tornou-se um grande líder e um grande homem de Deus. Ele tinha um passado que poderia tê-lo facilmente rotulado de fracassado, mas quando encarou este fato e se arrependeu, passou a ter também um futuro (Leia sobre Jacó em Gênesis 25-32).

RUTE

Rute era uma moabita. Ela adorava ídolos, no entanto, decidiu servir ao único Deus verdadeiro e, em consequência, terminou sendo incluída na linhagem direta de Davi e de Jesus (Ver o Livro de Rute e Mateus 1:5).

RAABE

Raabe era uma prostituta, no entanto, ajudou o povo de Deus e, assim como Rute, acabou sendo incluída na linhagem de Davi e de Jesus (Ver Josué 2 e 6 e Mateus 1:5).

PAULO

Paulo tinha um passado. Ele perseguiu os cristãos e, no entanto, tornou-se o apóstolo que recebeu 2/3 do Novo Testamento por revelação direta e foi levado ao terceiro céu onde viu glórias tais que não pôde nem mesmo descrever (Ver 2 Coríntios 12:1-4). Quando levavam seus lenços e aventais e os colocavam sobre os enfermos, eles eram curados (Ver Atos 19:11-12). Que unção poderosa! Com certeza, não parece que o passado de Paulo tenha afetado o seu futuro.

MATEUS

Mateus tinha um passado; ele era um coletor de impostos desprezado que se tornou um dos doze discípulos (Ver Marcos 2:14).

O passado com o qual você está tendo de tratar pode ser o passado de dez anos atrás ou o passado de ontem, mas passado é passado! Paulo disse em Filipenses 3:10-15 que deixar o passado para trás era algo que ele se esforçava diligentemente para fazer. Sentir-se condenado pelo passado é deixar de aceitar o perdão de Deus por ele. Sentir que o seu passado pode afetar o seu futuro negativamente é recusar-se a deixá-lo para trás. Deus ainda é Deus, e Ele pode extrair o bem de qualquer coisa, se dermos a Ele a oportunidade de fazer isso por meio da nossa fé! Todas as coisas cooperam para o bem daqueles que oram, amam a Deus e desejam a Sua vontade em suas vidas (Ver Romanos 8:28 KJV).

RECUSE-SE A PARAR DE TENTAR
E VOCÊ VENCERÁ

Você sabia que Abraham Lincoln – que foi provavelmente um dos maiores presidentes dos Estados Unidos, se não o maior – perdeu várias eleições antes de ser eleito? Na verdade, ele tentou ser eleito para um cargo público e falhou tantas vezes que é difícil entender como pôde ter o sangue frio de candidatar-se à Presidência. No entanto, ele o fez – e venceu.

Você sabia que Thomas Edison certa vez disse: "Eu abri caminho para o sucesso através dos fracassos"? Ele se recusou a parar de tentar, e finalmente inventou a lâmpada, mas enquanto tentava, dois mil experimentos seus falharam. Uma pessoa como Edison, que não desiste, é um indivíduo de caráter forte.

Você sabia que o material utilizado para fabricar os lenços de papel Kleenex foi inventado originalmente como filtro para máscaras de gás durante a Primeira Guerra Mundial, mas falhou? Como ele não funcionou, seus inventores tentaram criar com ele um creme removedor de maquiagem, mas ele falhou novamente. Então, finalmente, eles se depararam com o sucesso quando o mesmo material foi recondicionado como lenços descartáveis, e atualmente os americanos compram duzentos bilhões de lenços Kleenex por ano. Ele iniciou com dois fracassos, mas alguém disse: "Recuso-me a desistir!"[1]

Pessoalmente, acredito que o fracasso é parte de todo verdadeiro sucesso porque abrir caminho para o sucesso através do fracasso nos humilha. É uma parte vital do processo que permite que Deus nos use efetivamente.

Charles Darrow estabeleceu um alvo quando estava na casa dos vinte anos; ele determinou que seria milionário. Isto não é tão incomum hoje em dia, mas naquela época era algo extremamente raro. Charles viveu durante os chamados "Turbulentos Anos Vinte", uma época em que um milhão de dólares era uma soma enorme. Ele casou-se com uma mulher chamada Esther, prometendo-lhe que um dia seriam milionários. Então, a tragédia bateu à sua porta em 1929, com a chegada da Grande Depressão nos Estados Unidos. Tanto Charles quanto Ester perderam seus empregos. Eles hipotecaram sua casa, abriram mão do carro, e usaram as economias de toda sua vida. Charles estava absolutamente destruído. Ele ficava sentado pela casa em depressão, até que um dia, disse à sua esposa que ela poderia deixá-lo se quisesse. "Afinal", disse ele, "está claro que nunca vamos atingir o nosso alvo". Esther não estava pensando em partir. Ela disse a Charles que eles atingiriam o seu objetivo, mas que precisariam fazer alguma coisa todos os dias para não deixarem seu sonho morrer.

O que ela estava tentando dizer a Charles era isto: Não permita que os seus sonhos morram simplesmente porque você cometeu alguns erros no passado. Não desista só porque você tentou alguma coisa algumas vezes, e parece que não deu certo. Deus quer que você continue seguindo em frente e esqueça os erros do passado. O diabo quer que você desista. O progresso exige pagarmos um preço, e às vezes o preço que pagamos pelo progresso é simplesmente "continuar a continuar" e dizer: "Não vou desistir até ter algum tipo de vitória". Não seja o tipo de pessoa cuja forma de lidar com tudo que é difícil é: "Desisto!"

Esther Darrow disse a seu marido: "Mantenha o seu sonho vivo". Charles respondeu: "Ele está morto. Fracassamos. Nada vai funcionar". Mas ela não queria ouvir aquele tipo de conversa; ela se recusou a acreditar nela. Esther sugeriu que todas as noites eles tirassem algum tempo para discutir o que fariam para atingir o seu sonho. Começaram a fazer isso noite após noite, e em breve Charles teve uma ideia de criar dinheiro de brinquedo. A sua ideia era algo bastante apelativo, uma vez que o dinheiro estava tão escasso naqueles dias. Como ambos estavam sem trabalho, ele e Esther tinham muito tempo, e agora eles tinham muito dinheiro fácil para brincar. Então eles fingiam comprar coisas como casas, propriedades e prédios. Logo eles transformaram a fantasia em um jogo completo com tabuleiro, dados, cartas, pequenas casas, hotéis...

Você já adivinhou. Aquele foi o começo de um jogo que você provavelmente tem em seu armário hoje; chama-se *Banco Imobiliário*.

A família e os amigos de Charles gostaram do jogo, e em 1935 eles o persuadiram a procurar uma empresa de jogos chamada Parker Brothers para ver se eles queriam comprá-lo. Os executivos jogaram aquele jogo e disseram: "É chato, lento, complexo e monótono; não queremos comprá-lo".

Bem, Charles perseverou. A perseverança é vital para o sucesso. Precisamos perseverar, ser decididos, continuar a seguir em frente, e nos recusar a desistir. Quando fizermos isto, finalmente venceremos.

A esposa de Charles continuou encorajando-o. Graças a Deus pelas pessoas em nossa vida que nos encorajam! Ele dirigiu-se à loja Wanamaker de brinquedos e disse a um de seus executivos que se eles estocassem o brinquedo, ele obteria um empréstimo de cinco mil dólares e confeccionaria várias unidades, pois acreditava que eles seriam vendidos. O jogo decolou e, de repente, a Parker Brothers mostrou interesse. Dessa vez, os executivos da empresa jogaram o jogo novamente e o acharam imaginativo, ágil e surpreendentemente fácil de dominar. Os direitos autorais do jogo foram adquiridos em 1935, e a Parker Brothers os comprou de Charles Darrow por um milhão de dólares. O sonho de Charles e Esther se realizou[2].

Gostamos de ler estórias de sucesso como esta, mas lembremo-nos que Deus quer fazer o mesmo tipo de coisa através de cada um de nós. Ele não faz "acepção de pessoas" (Atos 10:34). Isto significa que Ele não tem algumas pessoas favoritas, e que todas as outras ficam de fora. Os princípios de Deus funcionarão para qualquer pessoa que esteja disposta a colocá-los em operação. A Sua Palavra diz que tudo é possível àquele que crê (Ver Marcos 9:23). Se mantivermos uma atitude positiva, continuarmos crendo e nos recusarmos a desistir, Deus fará algo grande através de todos nós.

Você não é um fracasso só porque falhou.

Não fique tão limitado pelo número de tentativas fracassadas de sua vida a ponto de recusar-se até mesmo a crer que você tem um futuro. Lembre-se, você não é um fracasso só porque falhou. Deus vê o seu valor independente de qualquer coisa; não há necessidade de qualquer aprovação senão a dele, e se Ele pode ignorar o seu passado, você também pode.

No próximo capítulo, vou lhe pedir para dar uma olhada mais de perto no que significa não apenas entender o seu valor, mas também amar e aceitar a si mesmo.

CAPÍTULO

Amando a Si Mesmo 5

A Bíblia nos ensina que devemos amar o nosso próximo assim como amamos a nós mesmos (Ver Mateus 22:39). E se não amamos a nós mesmos? Isso nos torna incapazes de amar os outros, o que é um grande problema. A marca registrada dos cristãos é o fato deles andarem em amor:

> Novo mandamento vos dou: que vos ameis uns aos outros; assim como Eu vos amei, que também vos ameis uns aos outros. Nisto conhecerão todos que sois Meus discípulos: se tiverdes amor uns aos outros. (João 13:34-35)

As pessoas que não conseguem amar e aceitar a si mesmas vivem em meio a uma tremenda dor emocional. Se elas não se aceitam, podem acabar sendo vítimas do vício pela aprovação dos outros. Deus não nos criou para a rejeição, mas para a aceitação. Ele nos aceita por causa da nossa fé em Cristo, e devemos receber a aceitação dele aceitando-nos a nós mesmos. As pessoas que rejeitam e até odeiam a si mesmas estão condenadas a uma vida de infelicidade e fracasso.

Como você se sente a respeito de si mesmo? Muitas pessoas não sabem como se sentem a respeito de si mesmas porque nunca dedicaram um tempo para pensar nisso. Mas você deve fazer isso. Você tem um relacionamento consigo mesmo. Na verdade, você tem de estar consigo mesmo o tempo todo. Você é a única pessoa de quem nunca poderá escapar. Se você não gosta de si mesmo, se não convive bem com você mesmo, você está condenado à infelicidade.

Se você não acredita que é assim, tudo o que precisa fazer é se lembrar de uma época em que precisou passar um dia ou mais com alguém de quem você absolutamente não gostava ou talvez até desprezasse. Aquele provavelmente foi um tempo difícil que você não gostaria de repetir. Você precisa entender que não gostar de si mesmo essencialmente estimula esses mesmos sentimentos! Como cristão, você não foi feito para odiar a si mesmo, mas para amar a si mesmo e para desfrutar da vida abundante que Deus lhe deu. Uma vez que Deus nos amou tanto a ponto de sacrificar o Seu único Filho por nós, é muito desrespeitoso e insultante para Ele que desprezemos a nós mesmos.

DESFRUTANDO A VIDA

É impossível desfrutar a vida se não gostamos de nós mesmos. Você poderia perguntar: "Joyce, como posso gostar de mim mesmo? Faço muitas coisas tolas e cometo erros demais para gostar de mim mesmo". Talvez você não goste da sua aparência, ou da sua personalidade, ou até de uma determinada característica do seu corpo.

Se este é o caso, entendo como você se sente. Durante muitos anos, eu detestei tanto a minha voz que era quase paranóica a respeito. Na verdade, eu temia abrir a boca e deixar que alguém me ouvisse falar pela primeira vez porque achava que minha voz não era adequada a uma mulher. Se você já me ouviu falar, sabe que minha voz é profunda demais para uma voz feminina. Geralmente, quando dou telefonemas, as pessoas que não me conhecem pensam que sou um homem. Elas me chamam de Sr. Meyer. Houve um tempo em que isto me deixava zangada, constrangida e aumentava meus sentimentos de insegurança.

> *Tome hoje a decisão de desenvolver uma atitude nova e mais positiva para consigo mesmo.*

O interessante é que é exatamente a minha voz que Deus mais tem usado. Ele escolheu usar-me em um ministério na mídia no qual minha voz é ouvida diariamente na maior parte do mundo. Deus pode pegar o que achamos que é um defeito e fazer grandes coisas. Na verdade, Ele tem prazer em fazer exatamente isto. Como vimos, o poder dele se aperfeiçoa na nossa fraqueza; Ele se mostra forte através daquilo que descartaríamos como coisa de nenhum valor.

O que não gosta em você? Seja específico; faça um resumo e tome hoje a decisão de desenvolver uma atitude nova e mais positiva para consigo mesmo.

Jesus morreu para que pudéssemos ter vida e desfrutá-la (Ver João 10:10). Viver diariamente rejeitando a si mesmo ou odiando a si mesmo é uma forma horrível de se viver. Projetamos nos outros aquilo que sentimos a respeito de nós mesmos. Se quisermos que as outras pessoas tenham uma boa opinião a nosso respeito, teremos de começar tendo uma boa opinião a respeito de nós mesmos. Na maior parte do tempo, as pessoas não se amam nem se aceitam, então, elas buscam de outros o que deveriam receber de Deus: a sensação de serem valiosas e dignas de amor. Quando elas não recebem dos outros o que buscam, sentem-se rejeitadas, e os sentimentos negativos que têm a respeito de si mesmas aumentam. Esse tipo de atitude negativa consigo mesmo é uma porta aberta para Satanás. De acordo com a Bíblia, ele busca aqueles a quem possa tragar (Ver 1 Pedro 5:8). As pessoas que não sabem como amar a si mesmas de forma equilibrada são um prato cheio para o inimigo.

UMA ATITUDE EQUILIBRADA

O medo de ser orgulhosa pode manter a pessoa aprisionada em uma atitude de auto-humilhação. A Bíblia realmente nos ensina a não termos uma opinião exagerada acerca da nossa própria importância (Ver Romanos 12:3). Devemos nos avaliar de acordo com a graça de Deus, sabendo que os nossos pontos fortes vêm dele e não nos tornam melhores que os demais. *Todos* nós temos pontos fortes e fracos! A Palavra de Deus diz que Ele concede dons aos homens, e que Ele escolhe quem receberá quais dons (Ver 1 Coríntios 12:4-11). Não podemos simplesmente escolher em que queremos ser bons.

Sabendo que os nossos dons vêm de Deus, não devemos julgar criticamente ou olhar com soberba para alguém que é incapaz de sobressair nas mesmas coisas que nós. Devemos definitivamente evitar o orgulho: "A soberba precede a ruína, e a altivez do espírito, a queda" (Provérbios 16:18). O orgulho é muito perigoso. Muitos grandes homens e mulheres de Deus caíram em pecado devido ao orgulho.

Não caia na armadilha do orgulho, mas não caia no extremo oposto pensando que a auto-rejeição, o ódio por si mesmo, e a auto-humilhação são a resposta. Em vez disso, procure ser o que chamo de uma pessoa "tudo e nada" – tudo em Cristo e nada sem Ele. O próprio Jesus disse: "Sem Mim... nada podeis fazer" (João 15:5). Seja confiante, mas lembre-se que a força que vem da confiança pode ser perdida rapidamente transformando-se em arrogância. É crucial permanecer humilde. Sei que não posso fazer nada de real valor a não ser que Cristo esteja fluindo através de mim. Ele merece todo o crédito e toda a glória por qualquer boa obra que se manifesta através de nós. O apóstolo Paulo disse: "Eu sei que em mim... não habita bem nenhum" (Romanos 7:18). Em nós mesmos e de nós mesmos não podemos dizer que há nada de bom. Somente Deus é bom, e qualquer coisa boa que venha de nós é uma mera manifestação da Sua obra através de nós (Ver Mateus 19:17). Não deixe de dar a Deus o crédito pelos seus sucessos.

Quando as pessoas me elogiam, como frequentemente fazem, eu recebo graciosamente os seus comentários gentis e imediatamente elevo-os ao Senhor. Digo a Ele que sei exatamente o que sou sem Ele e que Ele é realmente Aquele que merece o elogio. Deus se mostra forte naqueles que são humildes o bastante para permitir que Ele faça isso. Embora nós mesmos não sejamos nada, somos vasos através dos quais Ele pode fluir:

> Temos, porém, este tesouro em vasos de barro, para que a excelência do poder seja de Deus e não de nós (2 Coríntios 4:7).

POTES RACHADOS

Deus opera através de vasos de barro, ou do que geralmente chamo de "potes rachados". Isso quer dizer que somos imperfeitos, de modo que quando as pessoas olham para nós e vêem coisas espantosas acontecerem, sabem que deve ser Deus em ação porque certamente não poderíamos ser nós. Creio que qualquer pessoa que realmente me conhece não tem qualquer dificuldade em perceber que o trabalho que estou fazendo na terra hoje certamente deve ser Deus em ação em mim e através de mim. Elas dão a Ele a glória, e não a mim, porque vêem as minhas imperfeições e conhecem as minhas limitações. Deus escolhe as coisas fracas e loucas de propósito, para que nenhum mortal tenha a pretensão de se gloriar na Sua presença.

Imagine um pote com uma lâmpada dentro e coberto com uma tampa. Embora ele possa estar cheio de luz, ninguém pode ver a luz dentro dele. Porém, se o pote estiver rachado, a luz brilhará através das rachaduras. Do mesmo modo, Deus trabalha através das nossas imperfeições.

Você pode amar um pote rachado? Deus pode! É algo de Deus amar a si mesmo de uma forma equilibrada e saudável. Rejeitar e desprezar a si mesmo não provém de Deus.

AUTO-ACEITAÇÃO

A Palavra de Deus nos instrui a desejarmos ter relações pacíficas com Deus, com nós mesmos, e com o nosso próximo (Ver 1 Pedro 3:11). Na verdade, ela diz que não devemos simplesmente desejar esta paz, mas persegui-la e buscar alcançá-la. Ela enfatiza a importância de termos bons relacionamentos em todas as três áreas. Gosto de dizer que a Bíblia é um livro sobre relacionamentos. Ela tem muito a dizer sobre o nosso relacionamento com Deus. Tudo começa com o desenvolvimento do nosso relacionamento com o Pai por meio de Seu Filho Jesus Cristo. Devemos estar em paz com Deus e experimentar o Seu amor. A Palavra de Deus também fala extensivamente sobre o nosso relacionamento com as outras pessoas. Ensinamentos sobre amor, atitudes corretas, servir aos outros e dar, encontram-se em profusão na Bíblia. A Bíblia também nos ensina sobre a importância de termos uma atitude adequada para conosco. Ela nos ensina sobre o nosso relacionamento com nós mesmos.

Você tem uma atitude crítica para consigo mesmo, e fica sempre procurando defeitos em você? Se isso acontece, você está fora da vontade de Deus. Paulo recusou-se a ficar julgando a si mesmo, e ele não dava nenhuma atenção a qualquer pessoa que o julgasse:

> Todavia, a mim [pessoalmente] mui pouco se me dá de ser julgado [ou investigado e questionado] por vós [neste particular] ou por tribunal humano; nem eu tampouco julgo a mim mesmo. (1 Coríntios 4:3, AMP)

A confiança de Paulo estava em Cristo. E por saber que havia se tornado aceitável a Deus em Cristo, ele aceitava a si mesmo. Ele também sabia quem era em Cristo. Ele sabia de onde vinha, e sabia para onde estava indo. Estou certa de que Paulo lembrava-se de seu passado, e de como ele havia perseguido com veemência os cristãos antes de Deus ter aberto seus olhos para a verdade. Ele

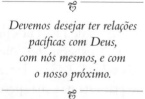

Devemos desejar ter relações pacíficas com Deus, com nós mesmos, e com o nosso próximo.

mesmo disse que teve de fazer um esforço para deixar o passado para trás e para prosseguir rumo à perfeição. Ele também esclareceu que não pensava haver alcançado (Ver Filipenses 3:12-14). Em outras palavras, Paulo não se dizia perfeito, mas também não tinha uma atitude negativa para consigo mesmo. Ele sabia que havia cometido erros, mas não rejeitava nem desprezava a si mesmo por causa deles.

O tipo de confiança que Paulo demonstra é muito libertador. Ele nos faz lembrar que Jesus morreu para que pudéssemos ser livres: "Se, pois, o filho vos libertar, verdadeiramente sereis livres" (João 8:36).

Deus queria tanto ver Seus filhos livres e capazes de desfrutar a vida que estava disposto a enviar o Seu único Filho para morrer para garantir essa liberdade (Ver João 3:16). Ele comprou a nossa liberdade com o sangue do Seu Filho. O mínimo que podemos fazer é aprender a nos vermos assim como Ele nos vê, preciosos e valiosos. Deus não permitiria que Jesus morresse por um monte de lixo, por pessoas sem valor e sem propósito. E Jesus não teria se entregado para morrer por nós se não tivéssemos valor para Deus. Afinal, foi Jesus

> O qual a Si mesmo se deu por nós, a fim de remir-nos (comprar a nossa liberdade) de toda iniquidade e purificar, para si mesmo, um povo exclusivamente seu [para ser peculiarmente seu, um povo] zeloso [ávido e entusiasmado por viver uma vida boa e cheia] de boas obras. (Tito 2:14, AMP)

Você tem andado atordoado, deprimido, desanimado e desencorajado? Você passa tanto tempo pensando em todos os seus erros que perdeu a esperança e o entusiasmo por viver uma boa vida? Se isso está acontecendo com você, mude as coisas hoje. Decida ter uma nova atitude para consigo mesmo. Paulo teve de fazer esta escolha, eu tive de fazê-la, e você também precisa fazê-la se deseja glorificar a Deus com a sua vida.

Deus não é honrado por pessoas que têm uma atitude negativa para consigo mesmas; na verdade, como mencionei antes, isso é algo completamente ofensivo para Ele. Se você tivesse amado e valorizado tanto um grupo de pessoas a ponto de estar disposto a sofrer terrivelmente e morrer por elas para que pudessem amar a si mesmas e às suas vidas, como você se sentiria se elas recusassem esse seu presente? Espero e oro para que você esteja começando a entender o que estou tentando dizer.

> *Deus não é honrado por pessoas que têm uma atitude negativa para consigo mesmas.*

Paulo disse que ele prosseguia para conquistar aquilo para o que também ele fora conquistado por Cristo Jesus e fora feito propriedade dele (Ver Filipenses 3:12). Ele estava falando da qualidade de vida que Jesus queria que ele tivesse. Paulo sabia que ele não a merecia, mas em nome de Jesus ele estava determinado a alcançá-la. Será que podemos fazer menos do que isto?

SUPER OVELHAS

Eu Sou o Bom Pastor. O Bom Pastor dá a vida pelas ovelhas. (João 10:11)

Jesus se referiu aos filhos de Deus como ovelhas, e isto por uma boa razão. As ovelhas não são conhecidas como os animais mais inteligentes do mundo. Elas precisam de um pastor. Sem orientação e ajuda, elas farão coisas que podem ser até autodestrutivas: "Todos nós andávamos desgarrados como ovelhas; cada um se desviava pelo caminho" (Isaías 53:6). As ovelhas são teimosas, e esta é outra razão pela qual Deus usa esta analogia para nos descrever. Frequentemente decidimos fazer coisas que redundarão em mal para nós a não ser que Deus intervenha. As ovelhas realmente têm muitos defeitos, mas elas não tentam escondê-los. A simples disposição delas de serem o que são é um de seus pontos mais fortes. Tentamos esconder nossos erros, e isto se torna um de nossos maiores problemas. Deus sabe de todas as coisas de qualquer forma, então, por que tentamos esconder qualquer coisa dele? Tentamos ser "super ovelhas", e isso não existe. As palavras *super* e *ovelhas* nem sequer combinam.

NÃO TENHA MEDO DA LUZ

A luz de Deus expõe as coisas (Ver João 3:20 e 1 Coríntios 4:5). Quando a luz é acesa em uma sala, podemos ver a sujeira e os insetos que começam a correr. Deus é Luz (Ver 1 João 1:5). Quando Ele se envolve na nossa vida, começa a nos mostrar coisas que talvez preferíssemos não ver, coisas que haviam ficado escondidas, até de nós mesmos. Somos frequentemente enganados, principalmente por nós mesmos. Preferimos não ter de lidar com os nossos erros, nem temos prazer em vê-los serem expostos. Talvez nos sintamos condenados por causa deles, mas pelo menos achamos que estão bem escondidos. Qualquer coisa que está escondida exerce poder sobre nós, porque tememos que ela venha a ser descoberta. A melhor coisa, e a mais libertadora que podemos fazer, é encarar aquilo que Deus quer expor e superar o medo que temos de ver isso exposto.

Durante muitos anos, escondi o fato de que havia sido abusada sexualmente por meu pai. Eu via isso como uma fraqueza e algo de que deveria me envergonhar. Sentia que havia algo de errado comigo, que eu era mercadoria de segunda mão. Pelo fato de ter medo de que alguém conhecesse o meu passado, ele continuava exercendo poder sobre mim. Quando o Espírito Santo começou a me orientar a compartilhar os detalhes do meu passado de abusos, tremi violentamente. Eu tinha um medo terrível do meu passado. O que as pessoas iriam pensar? Será que elas me rejeitariam? Será que elas me culpariam ou me odiariam? O diabo havia mentido para mim durante pelo menos vinte e cinco anos sobre a forma como as pessoas me veriam se elas soubessem sobre o meu passado, então, trabalhei duro para mantê-lo em segredo.

Eu mentia frequentemente sobre meu passado e sobre meus pais. Se alguém me perguntasse sobre minha infância, evitava mencionar qualquer coisa que pudesse causar algum tipo de suspeita. Mas quando ele finalmente foi trazido à luz, aconteceu exatamente o oposto do que eu havia pensado que aconteceria. As pessoas reagiram com compaixão, e não com julgamento. Meu testemunho começou a ajudar outras pessoas que também estavam trancadas em uma prisão pelo medo. Quanto mais compartilhava o meu passado, menos poder ele tinha sobre mim. A luz de Deus expôs as mentiras de Satanás, e a verdade me libertou.

Muitos de nós queremos esconder qualquer coisa que entendemos como fraqueza ou imperfeição, mas eu o encorajo a expor tudo diante da luz direta do amor de Deus. Já vimos que Deus escolhe e usa pessoas imperfeitas. Recusar-nos a admitir que temos imperfeições pode nos desqualificar para sermos usados por Deus. Ele quer verdade, e não engano. Ele quer que sejamos verdadeiros conosco mesmos, com Ele e com as pessoas:

> Mas, seguindo a verdade em amor, cresçamos em tudo, naquele que é a cabeça, Cristo. (Efésios 4:15)

Quando nos recusamos a amar e a abraçar a verdade, isto impede o nosso crescimento espiritual. Somos mantidos em um cativeiro pelas coisas que nos recusamos a enfrentar e tratar. Algumas coisas estão enterradas tão fundo que não pensamos nelas conscientemente, mas, assim como uma infecção, elas vão devorando a nossa vida: "Quem há que possa discernir as próprias faltas? Absolve-me das que me são ocultas [e inconscientes]" (Salmos 19:12, AMP).

Saí da casa de meu pai aos dezoito anos. Eu havia planejado fazer isso há muitos anos. Quando me formei no ginásio e pude conseguir um emprego e me sustentar, soube que partiria. Era o único meio que conhecia de fugir do abuso que havia suportado por tanto tempo. Fugi do problema pensando que ele houvesse terminado, mas não percebi que ainda o carregava em minha alma.

Passei anos tentando escondê-lo, recusando-me a falar a respeito dele ou mesmo a pensar nele, mas isso não me impedia de ter problemas relacionados a ele. A infecção crescia dia a dia e se transformava em algo que gradualmente assumia o controle da minha vida. A única forma de fazê-lo parar era trazendo-o à luz. Deus sabia disso, e Ele graciosamente trabalhou em mim através do Seu Santo Espírito para fazer isso. Ele trouxe as pessoas certas, os livros certos, e outros materiais às minhas mãos, para me ajudar a entender que eu não estava só com a minha dor. Milhares de pessoas haviam passado por abuso nas mãos de seus pais e de outros parentes e amigos.

A Bíblia nos ensina a confessarmos os nossos erros uns aos outros para que possamos ser curados e para aprendermos a amar uns aos outros (Ver Tiago 5:16). O fato de meu pai ter abusado de mim não era um erro meu, mas eu o via assim. Eu precisava ser tratada, precisava expor a dor para que pudesse ser um indivíduo emocionalmente, mentalmente e espiritualmente saudável. Na verdade, o estresse de esconder o abuso estava até mesmo afetando minha saúde física.

Muitos psiquiatras e psicólogos se tornaram homens de sucesso deixando que as pessoas falem com eles sobre as coisas que as perturbam. Eles também dão conselhos, mas o maior serviço que prestam é um ouvido disposto a ouvir e a privacidade do paciente. Todos precisam de alguém com quem falar, alguém com quem eles sintam que podem ser sinceros, alguém que não contará os segredos deles. Se você tem dificuldades em aceitar a si mesmo, ore e peça a Deus para lhe dar pessoas espiritualmente maduras como amigas, pessoas em quem você possa confiar, que o ouvirão e entenderão, mas que também dirão a verdade acerca da sua vida. Não procure somente alguém que sinta pena de você; você precisa mais da verdade do que de piedade.

Deus me deu isso em meu esposo, mas isso certamente me fez ficar zangada por muitos anos. Dave não participava das minhas "festinhas de autocomiseração". Ele não era mau

Todos precisam de alguém com quem falar, alguém com quem sintam que podem ser sinceros.

comigo, mas era verdadeiro. Posso me lembrar de ouvi-lo dizer: "Joyce, você quer que eu sinta pena de você, e eu não vou fazer isso porque isso não vai ajudá-la". Eu estava aprisionada em um ciclo interminável de autocomiseração, e a última coisa de que precisava era que alguém sentisse pena de mim. Eu achava que queria piedade, mas hoje agradeço a Deus por ter me dado o que eu precisava, e não o que queria.

Não fique zangado com as pessoas que Deus lhe dá para que usem de verdade com você. Elas devem falar a verdade em amor, mas elas *devem* falar a verdade (Ver Efésios 4:15).

UM NOVO COMEÇO

Quando as pessoas começam a estudar a Palavra de Deus e a aprender a viver na luz e a não ter medo disso, suas vidas mudam para melhor. Deus sabe todas as coisas, e Ele ama a você e a mim de qualquer jeito, então, mesmo que não encontremos ninguém mais, podemos ser totalmente abertos e sinceros com o Senhor. Ele odeia o fingimento, então, simplesmente seja sincero. Peça a Ele que revele a você qualquer coisa que possa estar escondendo ou que esteja com medo de enfrentar – e depois, aperte os cintos. Você pode estar diante da jornada da sua vida. Talvez em alguns momentos ela seja uma travessia cheia de solavancos, e, em outros, bastante assustadora. Talvez você grite: "Pare, deixe-me descer; não suporto mais!" Mas uma coisa é certa; esta é uma jornada que finalmente o levará para onde você deseja ir, ou seja, para uma vida que você possa desfrutar, e que dê bons frutos para Deus.

Deus me revelou tantas coisas sobre mim mesma que me deixou assombrada. Pensamos que nos conhecemos, quando na verdade, em geral estamos escondendo muitas coisas, não dos outros, mas de nós mesmos. Deus precisou mostrar-me muitas coisas desconfortáveis sobre mim mesma, coisas que rejeitei a princípio, pensando: "Não posso ser assim!" Ele me mostrou que eu era uma pessoa difícil de conviver, controladora, manipuladora, medrosa, insegura, e de coração duro. Eu falava demais. Fingia não precisar de ninguém, quando na verdade era muito carente. Agia como um leão enfurecido por fora, mas por dentro, era tão frágil quanto um gatinho recém-nascido. Eu culpava meu passado por tudo que fazia de errado, dava desculpas por meu mau comportamento em vez de assumir a responsabilidade por ele. A lista é longa demais para ir em frente, mas as boas novas são que hoje posso dizer: "Eu era assim, mas mudei".

Como costumo dizer: "Não cheguei onde preciso estar, mas graças a Deus não estou onde costumava estar. Estou bem, e estou a caminho!"

Não tenha mais medo das suas fraquezas. Não permita que elas façam com que você odeie a si mesmo. Entregue todas elas a Deus, e Ele o surpreenderá ao usá-las. Quando você se render ao Senhor desta forma, experimentará uma liberação destas coisas que são um fardo para você, então poderá viver leve e livre.

Não permita que as suas fraquezas e imperfeições o preocupem. Você é um ser humano, então dê a si mesmo a permissão para sê-lo. Ame a si mesmo apesar de tudo que vê de errado consigo mesmo. Todos nós temos de lidar com o nosso pequeno fardo de erros e imperfeições. Os seus podem não ser

Entregue a Ele tudo que você é, e principalmente tudo que você não é.

os mesmos que os de outros, mas acredite em mim, eles não são piores. Você vai tê-los de qualquer forma, então pode se permitir ser imperfeito. Aceite isto – você não é perfeito, e nunca será. Então, se você pretende um dia aceitar a si mesmo, terá de fazê-lo no seu estado de imperfeição.

ENTRANDO NO DESCANSO DE DEUS COM RELAÇÃO AOS SEUS ERROS

> Nós, porém, que cremos (aderimos, confiamos e dependemos de Deus), entramos no descanso. (Hebreus 4:3, AMP)

Lembro-me de quando Deus me disse para me permitir ser fraca. Foi muito difícil para mim porque eu realmente desprezava a fraqueza. Achava que as pessoas fracas eram pisadas. Minha mãe havia sido fraca. Ela deixava que meu pai abusasse dela verbalmente, emocionalmente e fisicamente. Ela permitira que ele abusasse de mim sexualmente. Ela era fraca demais para lidar com o assunto, não sabia o que fazer e não tinha forças para enfrentar o escândalo. Nunca odiei minha mãe, mas realmente cresci odiando a fraqueza.

Eu não respeitava as pessoas que, aos meus olhos, eram fracas. Como resultado, não conseguia aceitar a fraqueza em mim mesma. Eu tentava ser dura em todas as situações. O problema era que eu realmente tinha fraquezas como todo mundo, e tentar vencer todas elas estava criando um enorme estresse em minha vida além do ódio por mim mesma e da autorrejeição, que não provinham de Deus. Sofri enormemente tentando superar todas as imperfeições que via em mim mesma. Mesmo quando conseguia vencer uma, passava a enxergar mais duas.

Deus havia me dito para me permitir ter fraquezas. Eu sabia que tinha ouvido a voz de Deus, mas aquele era um passo de fé importante. Eu tinha medo de que, se simplesmente aceitasse as fraquezas como parte da vida, elas se multiplicassem e assumissem o controle. Eu ainda precisava aprender que, onde nós paramos, Deus começa. Quando lançamos sobre Ele as nossas ansiedades, Ele as toma e as carrega por nós (Ver 1 Pedro 5:7). Em vez das minhas fraquezas se multiplicarem e assumirem o controle da minha vida, Deus começou a me fortalecer nelas. Ele começou a fluir através delas. Ah, eu sabia que as minhas fraquezas ainda existiam, mas até mesmo esse conhecimento fazia com que eu me apoiasse nele constantemente. Meu relacionamento com Ele aprofundou-se. Eu estava sendo sincera, estava sendo dependente, e precisava dele sem interrupções.

> *Quando lançamos sobre Ele as nossas ansiedades, Ele as toma e as carrega por nós.*

Deus trabalha naqueles que crêem fazendo mudanças progressivas. Em Filipenses 1:6, vemos que Ele começou uma boa obra em nós, e pretende terminá-la e completá-la. A tradução da Bíblia Ampliada para este versículo diz que Ele estará aperfeiçoando a Sua obra em nós até a volta de Cristo. Se esta obra nunca vai estar completamente concluída até que Jesus nos chame ao lar, por que então nos atormentarmos durante toda a vida? Deus nos deu permissão para amarmos a nós mesmos como somos. Podemos entrar no Seu descanso com relação ao que ainda resta ser feito na nossa personalidade, no nosso caráter e na nossa vida. Crer nos permite entrar no descanso de Deus.

TODOS NÓS TEMOS ALGUMA DEFICIÊNCIA

Jacó era um homem que tinha muitas fraquezas, porém perseverou com Deus e estava determinado a ser abençoado por Ele. Deus gosta deste tipo de determinação Na verdade, ele disse a Jacó que por ter contendido com Deus e com o homem, Ele seria glorificado em Jacó (Ver Gênesis 32:28). Deus pode adquirir glória para Si através daqueles que não permitem que as suas fraquezas pessoais impeçam que Ele flua através deles.

Para que Deus faça isto através de nós, primeiramente temos de ficar frente a frente com o fato de que temos fraquezas, e depois temos de decidir não permitir que elas nos perturbem. As nossas imperfeições não vão impedir Deus, a não ser que nós permitamos que elas façam isto.

Vou lhe pedir que faça algo muito importante. Pare agora mesmo, passe os braços ao redor de si mesmo, dê um grande abraço em você e diga em voz alta: "Eu me aceito. Eu me amo. Sei que tenho fraquezas e imperfeições, mas não serei paralisado por elas". Tente fazer isso várias vezes ao dia, e logo você desenvolverá uma nova atitude e uma nova visão.

Jacó lutou com o anjo do Senhor que o tocou no osso da sua coxa, e, em decorrência disso, ele passou a mancar daquele dia em diante (Ver Gênesis 32:24-32). Eu sempre digo que Jacó saiu mancando daquela briga, mas saiu mancando com a sua bênção. Outra forma de dizer isto é: "Deus nos abençoará embora todos nós tenhamos uma deficiência (uma imperfeição)". Lembre-se, Deus vê o nosso coração. Se tivermos a nossa fé nele, e um coração que deseja fazer o que é certo, isso é tudo que é necessário.

ACEITE A BÊNÇÃO, PELO AMOR DE DEUS!

Davi e Jônatas tinham uma aliança que incluía todos os seus herdeiros (Ver 1 Samuel 18:3; 20:16; 23:16-18). Jônatas foi morto, mas Davi se tornou rei e começou a procurar alguém a quem pudesse abençoar por causa de Jônatas. Deus está procurando alguém a quem possa abençoar por causa de Jesus. Pode ser você, se você concordar.

Jônatas tinha um filho chamado Mefibosete que era coxo de ambos os pés. Ele havia vivido muitos anos em uma pequena aldeia chamada Lo-debar. Não era uma cidade interessante, nem popular. Quando a imagem que temos de nós mesmos é ruim, em geral escolhemos os ambientes que parecem se adequar ao modo como nos sentimos acerca de nós mesmos. Observei que algumas pessoas que são cheias de ódio por si mesmas nem se preocupam em se arrumar ou em tentar ter uma boa aparência. A forma como elas se sentem a respeito de si mesmas pode ser vista exteriormente. Outras pessoas vão ao extremo oposto. Elas se sentem tão mal consigo mesmas interiormente, que tentam esconder isso se tornando perfeccionistas exteriormente. Tudo ao seu redor precisa parecer perfeito – sua casa, sua aparência, seus filhos, seu cônjuge, etc. Elas vivem sob uma tremenda pressão, e também pressionam as pessoas com quem convivem.

Reagimos ao mesmo problema de formas diferentes, dependendo do nosso temperamento e do nosso histórico de vida. Mefibosete reagiu escondendo-se e evitando as mesmas pessoas que poderiam tê-lo ajudado. Ele sabia que tinha direito a terras e a outros privilégios por causa da aliança de seu pai Jônatas com Davi, que agora era o rei, mas ele continuou pobre e solitário.

Por quê? Por causa da forma como ele via a si mesmo. Ele deixou que os seus pés coxos o constrangessem e o impedissem de reivindicar seus direitos.

Quantos de nós fazemos o mesmo? Não oramos com ousadia nem recebemos as bênçãos que Deus nos oferece gratuitamente por causa da forma como nos vemos. Supomos que se nós nos vemos de uma forma negativa, Deus e todos os demais devem nos ver assim também, mas isto não é verdade.

A história de Mefibosete é contada em 2 Samuel, capítulo 9, e termina declarando que ele finalmente foi levado ao palácio real a convite do Rei Davi. Tudo que por direito era seu lhe foi restituído, e ele comia à mesa do rei embora fosse coxo dos dois pés (Ver vv. 7 e 13). Como você pode ver, pessoas imperfeitas também podem ser abençoadas, mas elas precisam perceber que suas imperfeições não impedem Deus de agir:

> Canta, ó filha de Sião; rejubila, ó Israel; regozija-te e, de todo o coração, exulta, ó filha de Jerusalém.
>
> O Senhor afastou as sentenças que eram contra ti e lançou fora o teu inimigo. O Rei de Israel, o Senhor, está no meio de ti; tu já não verás mal algum.
>
> Naquele dia se dirá a Jerusalém: Não temas, ó Sião, não se afrouxem os seus braços.
>
> O Senhor, teu Deus, está no meio de ti, poderoso para salvar-te; ele se deleitará em ti com alegria; renovar-te-á no seu amor, regozijar-se-á em ti com júbilo.

> Eis que, naquele tempo, procederei contra todos os que te afligem; *salvarei os que coxeiam, e recolherei os que foram expulsos, e farei deles um louvor e um nome em toda a terra em que sofrerem ignomínia.* (Sofonias 3:14-17. 19, ênfase da autora)

Pare! Se você não leu a passagem das Escrituras acima, eu lhe peço que volte e faça isso. Sei por experiência própria que, às vezes, quando estamos lendo um livro que inclui as Escrituras, estamos tão interessados no que o livro está dizendo que pulamos algumas passagens bíblicas. Neste caso, recomendo firmemente que você não apenas leia as Escrituras, mas que também se esforce para digeri-las.

Estas passagens bíblicas compartilham o fato de que Deus quer abençoar aqueles que parecem ser "excluídos", aqueles que têm "imperfeições" em sua vida. Ele está determinado a reuni-los e a abençoá-los. Ele promete lançar fora o inimigo, que em muitos casos são a vergonha, a culpa e a desgraça. Deus não quer que você experimente o mal ou que o tema nunca mais. Ele quer que você descanse na paz e desfrute da sua vida. Ele quer que você aprecie e ame a si mesmo de uma forma equilibrada.

> *Deus não quer que você experimente o mal ou que o tema nunca mais.*

Então, pare por um instante, leia as Escrituras, e depois agradeça a Deus por amá-lo como você é e por lhe ensinar a amar a si mesmo. Quando você estiver pronto, passaremos à segunda parte deste livro, onde aplicaremos o que aprendemos sobre autoaceitação em algumas batalhas específicas que precisamos vencer para poder lidar de forma adequada com o vício da aprovação. Vá em frente!

PARTE II

Lidando com os Nossos Vícios

CAPÍTULO

6

Superando o Vício da Necessidade de Aprovação

Quando pensamos em viciados, talvez pensemos imediatamente em drogas ou álcool. Mas a verdade é que podemos ser viciados em quase tudo. O apóstolo Paulo afirmou que ele não permitiria que nada o controlasse (Ver 1 Coríntios 6:12). Esta é uma boa atitude, e se quisermos mantê-la, teremos de ser muito determinados. Até as pessoas mais "espirituais" podem se tornar viciadas. O vício delas pode não ser nas coisas que pensamos comumente quando ouvimos a palavra *"viciado"*, mas, apesar de tudo, são vícios reais.

Como vimos anteriormente, um vício é algo sem o qual as pessoas acham que não podem viver, ou algo que elas se sentem impelidas a fazer para aliviar a pressão, a dor, ou o desconforto de qualquer espécie. Um viciado em drogas, por exemplo, fará o que for necessário para conseguir uma dose sempre que começar a se sentir desconfortável. Um alcoólatra sentirá compulsão por beber, principalmente quando confrontado com os problemas da vida. A substância na qual a pessoa é viciada ajuda a aliviar a sua dor momentaneamente, mas um ciclo controlador extremamente destrutivo tem início em sua vida.

Fumei cigarros por muitos anos e fui viciada em nicotina. Passei pelo mesmo tipo de coisas que descrevi, felizmente em menor grau. Por exemplo, se eu estivesse em uma situação de tensão, a primeira coisa que procurava era um cigarro. Se ficasse zangada ou estivesse sob qualquer tipo de estresse, fumava ainda mais do que o normal. Eu usava o fumo para aliviar a tensão em vez de lidar com os problemas da vida da forma que Deus escolheria para mim. Certamente não me considerava uma viciada, mas finalmente tive de encarar a realidade de que não apenas era viciada em cigarros, mas que havia outras coisas em minha vida que me controlavam do mesmo modo. Eu era viciada em aprovação, na necessidade de estar no controle, em trabalho, em raciocinar, e em outras coisas. Mas se eu desejava ser capaz de dizer, como o apóstolo Paulo, "Não me deixarei dominar por nada", precisava estar disposta a enfrentar a verdade e permitir que Deus me transformasse.

VICIADA EM RACIOCINAR

Deus me revelou que eu era viciada em raciocinar. Simplesmente não conseguia me sentir confortável e em paz se não achasse que tinha tudo calculado em minha vida. Queria saber o que iria acontecer, e como e onde sucederia. Se eu não soubesse, ficava ansiosa, inquieta, nervosa e mal-humorada. Tinha sintomas semelhantes aos de um viciado em drogas que precisa de uma dose; o nível de gravidade não era o mesmo, mas os sintomas, sim.

Naquela época eu era cristã, e fazia parte do grupo "movimento pela fé", o que supostamente significava que andava por fé. Porém, na realidade, isso não acontecia. Eu confiava em Jesus quanto à minha salvação, mas em muitas outras áreas confiava em mim mesma para dar as respostas de que precisava para a minha vida diária.

As pessoas que se preocupam em excesso demonstram claramente que confiam em si mesmas, e não em Deus, para resolver os seus problemas. A preocupação é um pecado do qual precisamos nos arrepender como qualquer outro.

No meu caso, havia sempre alguma coisa acontecendo, ou na minha vida, ou na vida de outra pessoa, em que eu estava "trabalhando" ou tentando raciocinar a respeito. Eu pensava em diversas respostas que pareciam fazer sentido, e durante algum tempo elas me confortavam; mas as coisas nem sempre saíam do jeito que eu havia imaginado que sairiam. Lembro-me do Espírito Santo ter me falado ao coração dizendo: "Joyce, você acha que já calculou tudo que vai acontecer na vida. Você acha que sabe o que Eu vou fazer, e como vou fazer. Mas na verdade, você não sabe tanto assim. Joyce, você não é tão esperta quanto pensa".

> *As pessoas que se preocupam em excesso demonstram claramente que confiam em si mesmas, e não em Deus, para resolver os seus problemas.*

A Bíblia nos diz para não sermos sábios aos nossos próprios olhos (Ver Provérbios 3:7). Em outras palavras, "Nem de longe pense que você é inteligente o bastante para dirigir a sua própria vida e ter respostas para tudo".

> Eu sei, ó Senhor, que não cabe ao homem determinar o seu caminho, nem ao que caminha dirigir os seus passos.
> (Jeremias 10:23)

A vida seria muito mais fácil se acreditássemos na Palavra de Deus e agíssemos de acordo com ela, mas a maioria de nós precisa descobrir o que funciona e o que não funciona do jeito mais difícil. A Sua Palavra diz que não está em nós dirigir a nossa própria vida, mas ainda assim, tentamos fazê-lo.

Eu não desfrutava de paz por causa da minha mania de ponderar, mas havia feito isso por tanto tempo que não conhecia outra forma de viver. Assim são os viciados. Eles não gostam da vida que levam, mas ao mesmo tempo, não conseguem enfrentar ter de vivê-la de outro modo. Elas a odeiam, mas precisam dela.

Quando eu era criança, tive de cuidar de mim mesma desde muito nova. Meus pais me davam moradia, vestimenta e coisas deste tipo, mas eu me sentia usada em vez de amada. Eu não confiava em ninguém, porque as pessoas que diziam me amar abusavam de mim e me decepcionaram. Meu pai abusou de mim, e minha mãe me abandonou. Ela não abandonou a casa fisicamente, mas fingia não saber o que estava acontecendo comigo, quando, na verdade, sabia muito bem. Ela era incapaz de tomar uma atitude por causa do medo; ela tinha medo do escândalo que um caso de abuso infantil poderia causar. A rejeição e o abandono que experimentei em minha infância foram as raízes do meu vício por aprovação. Eu tinha um sentimento profundo de que era imperfeita, e como não me aceitava, tinha medo de que ninguém mais me aceitasse também.

Quando criança, nunca me senti segura. Não sentia que podia expressar uma necessidade ou um desejo e esperar que meus pais o atendessem. Eu não queria pedir coisa alguma, principalmente a meu pai, porque sempre havia um preço a ser pago. Desenvolvi o hábito de olhar para diante mentalmente, sempre tentando estar um passo à frente de qualquer necessidade que tivesse. Não queria precisar de ninguém. Decidi cuidar de mim mesma, o que é um trabalho gigantesco para uma criança. Decidi até cuidar dos outros, principalmente de minha mãe. Ela não parecia ser capaz de cuidar de mim e me proteger, então me tornei a "salva-vidas" da família. Cresci com um falso senso de responsabilidade. Ainda hoje, tenho de resistir à tentação de me sentir responsável por coisas das quais outras pessoas deveriam estar cuidando.

Também me tornei viciada na necessidade de estar no controle. Eu tinha medo de deixar que os outros tomassem qualquer decisão, porque não tinha confiança de que eles se preocupariam comigo. Estava acostumada a ser usada. Quando saí de casa e pude dirigir minha própria vida, decidi que nunca mais seria ferida novamente. Prometi a mim mesma: "Ninguém nunca mais se aproveitará de mim novamente; ninguém vai me dizer o que fazer".

Tornei-me rebelde contra a autoridade, principalmente contra a autoridade masculina. Eu não era má – estava apenas com medo! Se não estivesse no controle, ficava frenética, tentando manipular as circunstâncias de forma a conseguir sempre o que queria.

Existe uma infinidade de vícios, mas agora vamos discutir o "vício em aprovação".

A NECESSIDADE DE APROVAÇÃO

Quando baseamos a nossa autoestima na forma como as pessoas nos tratam, ou no que cremos que elas pensam a nosso respeito, isso faz com que nos tornemos viciados na aprovação delas. Não precisamos ser aprovados por certos indivíduos para nos sentirmos bem conosco. Quando achamos que precisamos, temos uma convicção falsa que abrirá a porta para muita infelicidade em nossas vidas. Podemos desperdiçar muito tempo e esforço tentando agradar as pessoas e ganhar a aprovação delas. Mas se um único olhar de reprovação ou uma palavra depreciativa é o suficiente para arruinar o nosso senso de autoestima, estamos vivendo em cativeiro. Não importa o quanto nos esforcemos para agradar as pessoas e ganhar a aceitação delas, sempre haverá alguém para nos reprovar.

Em Gálatas, capítulo 4, a Bíblia fala sobre duas alianças, descrevendo duas formas pelas quais podemos viver. Vamos dar uma olhada nelas.

1. ATRAVÉS DAS OBRAS DA CARNE

O primeiro modo segundo o qual podemos viver é pelas obras da nossa carne. Podemos cuidar de nós mesmos, fazer nossos próprios planos, e nos esforçarmos para fazer as coisas acontecerem do nosso jeito e no nosso tempo. Este é o jeito natural, o jeito normal segundo o qual a maioria das pessoas vive. É um caminho que produz todo tipo de infelicidade. Nós nos esforçamos, ficamos frustrados, fracassamos, e terminamos esgotados e desgastados na maioria das vezes. Ficamos confusos, derrotados, e não temos paz nem alegria.

2. ATRAVÉS DA FÉ

O segundo modo pelo qual podemos viver é sobrenaturalmente, pelo poder de Deus. Podemos viver pela fé, confiando que Deus fará o que precisa ser feito em nossas vidas. Este modo é descrito na Bíblia como um "novo e vivo caminho" (Ver Hebreus 10:20), o qual examinaremos mais adiante neste livro. Este novo caminho produz paz, alegria, calma e sucesso.

Podemos tentar ganhar a aceitação das pessoas do jeito do mundo, ou podemos escolher o jeito de Deus.

FAVOR SOBRENATURAL

> Sendo o caminho dos homens agradável ao Senhor, este reconcilia com eles os seus inimigos. (Provérbios 16:7)

Deus nos concederá favor junto às pessoas se lhe pedirmos que o faça, e se colocarmos a nossa confiança nele. Ele pode até fazer com que os nossos inimigos se reconciliem conosco.

Quando comecei a pregar, é claro que eu queria que as pessoas gostassem de mim e me aceitassem, e ainda quero. Naquela época, não sabia muito sobre confiar em Deus para obter Seu favor sobrenatural, então, sentia muita pressão para fazer todas as coisas certas na esperança de que as pessoas me aceitassem e me aprovassem.

O problema com esse tipo de mentalidade é que cada pessoa espera algo diferente, e não importa o quanto nos esforcemos, não podemos agradar a todos ao tempo todo. Algumas pessoas achavam que minhas conferências eram longas demais, enquanto outras queriam que eu passasse ainda mais tempo pregando para elas. Algumas achavam que a música era alta demais, enquanto outras a queriam ainda mais alta. A maioria das pessoas que participava amava o meu estilo de pregação, mas ocasionalmente alguém se ofendia com a minha abordagem direta e me mandava uma carta de correção. Qualquer reprovação me deixava literalmente quase doente de preocupação e com sentimentos de rejeição – até que aprendi a confiar em Deus em vez de tentar "conquistar" aceitação.

Em *The Mask Behind the Mask* (A Máscara Por Trás da Máscara), o biógrafo Peter Evans diz que o ator Peter Sellers desempenhou tantos papéis que às vezes ele não estava seguro da sua própria identidade[1]. Em outras palavras, Sellers desempenhou tantos papéis que se esqueceu de quem era. Lembro-me de um dia ter clamado a Deus, cheia de frustração, dizendo: "Não sei quem sou ou como devo agir". Às vezes, eu me sentia como uma máquina de vender coisas. Todos que se aproximavam apertavam um botão diferente esperando obter algo diferente de mim. Meu marido queria uma esposa boa, adorável e submissa. Meus filhos queriam uma mãe atenciosa. Meus pais e minha tia, que são idosos e dependem de mim, queriam minha atenção. O chamado de minha vida exigia muitas coisas de mim. As pessoas a quem eu ministrava queriam que eu estivesse disponível para elas sempre que achassem que precisavam. Eu dizia sim a tudo até finalmente cair doente de estafa e perceber que, se não aprendesse a dizer "não", estaria fadada a ter problemas sérios de saúde. Eu queria que todos me amassem e me aceitassem, desejava desesperadamente a aprovação deles, mas estava tentando conseguir isso da forma errada.

O Senhor me disse que Ele me concederia favor junto às pessoas se eu orasse por elas e confiasse nele. Deus pode fazer com que as pessoas que normalmente nos desprezariam nos aceitem e gostem de nós. A Bíblia diz que Ele muda o coração dos homens assim como muda o curso das águas (Ver Provérbios 21:1). Se Deus pode fazer um rio fluir em uma determinada direção, Ele certamente pode mudar o coração de alguém para conosco. Nós nos desgastamos tentando fazer aquilo que só Deus pode fazer.

Deus pode abrir as portas certas para você, e Ele o fará, e lhe concederá favor junto às pessoas certas no tempo certo. Por exemplo, Deus pode lhe conseguir um emprego muito melhor do que qualquer coisa que você poderia conseguir por si mesmo. Na verdade, Deus me deu um emprego para o qual eu nem sequer estava qualificada, e depois me capacitou para exercê-lo. Eu trabalhava em um negócio como gerente geral, e lidava com coisas que a maioria das pessoas precisaria de uma formação universitária e muitos anos de experiência para realizar. Naquela época eu não nenhuma dessas coisas, mas Deus estava do meu lado. Podemos ter o favor de Deus, e Ele nos concederá favor junto aos homens.

> *Deus pode abrir as portas certas para você, e Ele o fará, e lhe concederá favor junto às pessoas certas no tempo certo.*

Confie em Deus para obter favor. Quando Deus nos favorece, Ele nos dá coisas e faz coisas por nós que, do ponto de vista natural, não merecemos. Na verdade, o trabalho que exerço agora é um trabalho que não mereço e para o qual não estou qualificada naturalmente, mas é um trabalho que Deus me capacita diariamente para realizar. Jesus disse que a unção do Espírito Santo que o qualificou para fazer o que fez (Ver Lucas 4:18-19) é a mesma coisa que me qualifica para fazer o que faço. Deus me escolheu e separou para este trabalho. Ele me ungiu.

Ele quer fazer o mesmo por todos os Seus filhos, se eles o permitirem. Lembre-se, Deus começa onde nós terminamos. Pare de lutar, tentando fazer as coisas acontecerem de acordo com os seus desejos, e peça a Deus para ocupar o assento do motorista na sua vida.

Enquanto tentarmos fazer as coisas acontecerem na força da nossa carne, Deus ficará de fora esperando que fiquemos esgotados. Finalmente é o que acontecerá, e esperamos que quando isso acontecer, clamemos pelo Senhor.

NÃO PODEMOS AGRADAR A TODOS O TEMPO TODO

Qualquer um de nós que pretende fazer muitas coisas na vida, terá de aceitar o fato de que haverá momentos em que não teremos a aprovação de todos. A necessidade de sermos populares roubará o nosso destino. Lido com uma grande variedade de pessoas e ministro a elas. É humanamente impossível agradar a todas elas o tempo todo. Temos mais de quinhentos funcionários nos Ministérios Joyce Meyer. Quase nunca tomamos uma decisão que satisfaça a todos eles.

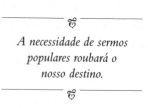

A necessidade de sermos populares roubará o nosso destino.

A Bíblia diz que Jesus esvaziou-se a si mesmo (Ver Filipenses 2:7 KJV). Esta é uma declaração expressiva. Ele não era bem visto por muita gente, mas o Seu Pai Celestial o aprovava e aprovava o que Ele fazia, e isto era tudo que realmente importava para Ele. Desde que você e eu tenhamos a aprovação de Deus, temos aquilo de que mais necessitamos. O apóstolo Paulo disse que se ele houvesse tentado ser popular com as pessoas, ele não teria sido um servo do Senhor Jesus Cristo (Ver Gálatas 1:10). Paulo estava dizendo que necessitar da aprovação das pessoas de forma desequilibrada pode roubar o nosso destino. Não podemos sempre agradar a Deus e às pessoas ao mesmo tempo.

Ore pedindo o favor de Deus. Confesse que você recebeu o favor de Deus e que Ele lhe concede favor junto aos homens. Antes de embarcar em qualquer empreendimento de negócios, peça o Seu favor. Quando encontrar pessoas novas, peça favor. Costumo pedir a Deus que me conceda favor até mesmo antes de ir a um restaurante. Ele pode me conseguir o melhor lugar na casa, o melhor garçom, o melhor serviço, e a melhor comida. A Bíblia diz em Tiago 4:2: "Nada tendes, porque não pedis". Comece a pedir favor regularmente, e você ficará espantado com a aceitação e com as bênçãos que virão até você. Você terá tantos amigos que precisará orar acerca de quais convites deverá aceitar ou recusar.

> *Não podemos sempre agradar a Deus e às pessoas ao mesmo tempo.*

Desenvolva a sua fé na área do favor. Viva esperando por isso o tempo todo. Lembre-se, você não pode agradar a todos o tempo todo, mas Deus pode lhe conceder favor. Confie nele para escolher seus amigos, para abrir as portas certas, e para fechar as portas erradas. Peça ao Senhor que faça "conexões divinas", amizades perfeitas para você. Deus pode colocar você em contato com as pessoas que acrescentarão à sua vida em vez de roubar dela.

Embora Deus lhe conceda favor, ainda assim haverá momentos em que certas pessoas não lhe darão sua aprovação. Esforce-se para agradar a Deus, e deixe que Ele trate com as pessoas.

CATIVEIRO OU LIBERDADE

Como mencionei, há duas formas de se viver. Podemos viver pela graça, ou seja, pelo favor e ajuda de Deus, ou podemos viver pelas obras – pelos nossos próprios esforços –, tentando fazer o trabalho de Deus. Um jeito gera cativeiro, o outro, liberdade.

Eis alguns exemplos. Há dois tipos de justiça: a que tentamos conquistar pela nossa própria lista perfeita de boas obras, e a que Deus nos dá por meio da nossa fé em Jesus Cristo.

Há dois tipos de amor que podemos ter: o amor que tentamos conquistar e merecer, e o amor que recebemos como dom gratuito de Deus.

Há dois tipos de amor que podemos dar: primeiro, o tipo de amor simples e comum que as pessoas precisam merecer e conquistar; quando achamos que elas não merecem o nosso amor, nós o retemos. Também podemos dar o amor de Deus, o amor que Ele nos deu. Podemos deixar que o amor dele flua através de nós. O amor de Deus é um amor incondicional. Podemos receber esse amor dele e entregá-lo a outros.

Há duas formas de prosperar na vida: tentando traçar o seu próprio caminho e lutando de acordo com o sistema deste mundo, ou fazendo o que Deus orienta, dando os dízimos de toda a sua renda e ofertando conforme a direção de Deus. Quando nos decidimos a honrar a Deus com nossos dízimos e ofertas, Ele sempre atende às nossas necessidades.

Há dois caminhos para a promoção: podemos tentar nos promover, sempre procurando formas de nos projetarmos, ou podemos confiar em Deus para nos promover e nos conceder favor.

Há dois tipos de aprovação: uma é a que vem das pessoas, e outra é a que vem de Deus. Queremos que as pessoas nos dêem sua aprovação, mas se nos tornarmos viciados na aprovação delas, se tivermos de tê-la a qualquer custo e estivermos prontos a fazer tudo que elas exijam para obtê-la, perderemos a nossa liberdade. Se confiarmos em Deus para termos aprovação, seremos libertos desse vício.

LIMITES E EQUILÍBRIO OU ESGOTAMENTO

As pessoas viciadas em aprovação entram em esgotamento com frequência. Para elas, existe sempre o perigo de tentar demais. Elas querem tão desesperadamente agradar que fazem tudo que acham que se espera delas e mais um pouco. Elas podem ser comprometidas em serem "boazinhas". Às vezes, dizem sim apenas porque não podem dizer não, e não porque acham que suas atitudes são da vontade de Deus. Elas se esgotam por falta de discernimento ou por um sentimento de culpa infundado. E assim, a ira delas também aumenta.

Ficamos aborrecidos quando nos sentimos usados e empurrados para todos os lados. O esgotamento nos deixa aborrecidos porque, lá no fundo, reconhecemos que isso não é normal. Ficamos aborrecidos com as pessoas que nos pressionam, quando na verdade estamos permitindo sermos pressionados. Para evitar a pressão dos outros e de nós mesmos, devemos assumir o controle da nossa vida sob a direção do Espírito Santo.

Certa vez, quando eu estava reclamando por causa da minha agenda apertada, ouvi o Espírito Santo dizer: "Joyce, é você quem faz a sua agenda; se você não está satisfeita com ela, faça algo a respeito".

Frequentemente reclamamos e vivemos uma vida silenciosamente aborrecida enquanto, ao mesmo tempo, continuamos a fazer as mesmas coisas que nos aborrecem. É verdade que as pessoas não devem nos pressionar, mas também é verdade que não devemos nos permitir sermos colocados sob pressão. Não podemos culpar os outros por aquilo que é nossa responsabilidade.

A vida cristã normal deve ser vivida dentro dos limites de um viver equilibrado. Quando uma pessoa tem um caso grave de esgotamento, a cura não é fácil. Nenhum de nós, nem mesmo os que foram "chamados por Deus", podem quebrar as Suas leis naturais sem pagar a penalidade por isso. Embora possamos trabalhar para Deus, não podemos viver sem limites. Jesus descansou. Ele afastou-se das exigências da multidão e tirou um tempo para renovar as forças.

Muitos dos santos de Deus mais preciosos e conhecidos sofreram de cansaço e esgotamento com tendência à depressão. Precisamos aprender que nem todos os nossos problemas são espirituais; alguns deles são físicos. Geralmente culpamos o diabo por coisas que são culpa nossa. Precisamos aprender a dizer "não" e não temermos perder relacionamentos. Cheguei à conclusão de que se eu perder um relacionamento por dizer não a alguém, então realmente nunca tive um relacionamento com aquela pessoa.

RELACIONAMENTOS

Os relacionamentos são parte importante da vida. Deus quer que tenhamos relacionamentos agradáveis e saudáveis. Um relacionamento não é saudável se uma das pessoas está no controle enquanto a outra se esforça para ter a sua aprovação, conseguindo-a por estar sempre pronta a fazer qualquer coisa que a outra deseje, independente do que seja ou de como aquele indivíduo se sinta acerca de sua personalidade. Se tivermos de pecar contra a nossa própria consciência para ter a aprovação de alguém, estaremos fora da vontade de Deus.

Você pode comprar amigos deixando que eles controlem você, mas, para mantê-los, terá de fazer o mesmo que fez para conquistá-los.

Mencionei que você pode comprar amigos deixando que eles controlem você, mas, para mantê-los, terá de fazer o mesmo que fez para conquistá-los. Finalmente, você se cansará de privar-se da sua liberdade. Na verdade, é melhor estar só do que ser manipulado e controlado.

Tenha cuidado com a forma como você inicia um novo relacionamento. Aquilo que você permite no início passará a ser esperado de você. Quando entramos em negociações com pessoas diferentes com as quais nunca trabalhamos antes, Dave sempre estabelece limites. Se recebemos de volta um trabalho ou produto inferior em qualquer aspecto, ele imediatamente informa que esperamos nada menos que a excelência. Se elas começam comparecendo atrasados para os compromissos sem avisar, ele informa que esse tipo de comportamento é inaceitável. Houve momentos em que achei que ele estava sendo um duro demais com elas, mas ele sempre diz: "Se não definirmos desde o princípio o que esperamos, mais tarde tirarão vantagem de nós".

Apenas lembre-se de que aquilo que você permite no início de um relacionamento deve ser aquilo com o que você deverá ficar satisfeito de forma permanente. Demonstre às pessoas, por meio de atitudes, que embora você deseje ter a aprovação delas, você pode viver sem isso se for preciso. Respeite as pessoas, e faça-as saber que você espera que elas também lhe demonstrem respeito.

Às vezes, as pessoas fazem concessões no início de um relacionamento para conseguir alguma coisa ou alguém que desejam. Elas pensam que podem mudar aquela pessoa mais tarde, mas nem sempre as coisas funcionam dessa forma. Conheço muitas mulheres que se casaram com homens não crentes pensando que poderiam convencê-los a amar Jesus mais tarde. A maioria delas terminou tendo uma vida infeliz, presas a um "jugo desigual com os incrédulos" (2 Coríntios 6:14).

Recentemente, estava visitando uma amiga em Minnesota, e enquanto estava lá, conheci uma mulher que me pediu para explicar-lhe sobre o significado de estar em "jugo desigual com um incrédulo". Ela estava namorando um homem que dizia ser cristão, mas não estava realmente comprometido com Cristo.

Ela própria havia sido criada em um lar cristão e mantinha um relacionamento ativo e pessoal com o Senhor. Seu pai havia se oposto veementemente a que ela desse continuidade ao relacionamento com aquele homem, dizendo-lhe que ela estaria em "jugo desigual".

Quando estamos ligados emocionalmente a alguém, precisamos tomar muito cuidado para não deixar que nossas emoções se sobreponham à sabedoria e silenciem a voz de Deus. Eu disse simplesmente àquela mulher que ela estaria cometendo um erro casando-se com aquele homem esperando poder transformá-lo mais tarde. Se ele fosse um cristão, teria de prová-lo demonstrando seu compromisso com um estilo de vida cristão.

Muitas pessoas dizem que são cristãs, mas não demonstram os frutos do que dizem. A Bíblia diz: "Pelos frutos os conhecereis" (Ver Mateus 7:16). Muitas pessoas aceitam mentalmente a existência de Deus, mas isso não significa que elas estão comprometidas em servi-lo. O mundo na verdade está cheio de pessoas que acreditam em Deus mas vivem em pecado.

Aquela mulher compartilhou comigo que o homem que ela estava namorando estava começando a frequentar a igreja com ela de vez em quando, e ela tinha esperanças de que ele fizesse um compromisso sério com Deus. Eu disse a ela que se certificasse de que ele fizesse isto antes de se casar com ele. Eu disse a ela que não fizesse concessões no início do relacionamento, mas que fosse extremamente clara quando às suas expectativas.

Sabedoria é escolher agora aquilo que o fará feliz mais tarde. Não viva como se não houvesse amanhã, porque o amanhã sempre vem.

Quando escolhemos as pessoas com quem achamos que queremos ter um relacionamento — seja profissional ou pessoal — geralmente descobrimos mais tarde que as nossas escolhas não foram muito sábias. Peça a Deus para lhe dar "contatos divinos". Ele pode escolher relacionamentos para você que você mesmo jamais escolheria, porque você tem ideias pré-concebidas sobre o que quer. Aprenda a olhar além do exterior das pessoas e a ver o coração delas. Alguém pode parecer bom exteriormente, mas ter um relacionamento com essa pessoa pode ser um pesadelo. Outra pessoa pode não lhe atrair à primeira vista, porém, quando você passa a conhecê-la, ela pode vir a ser o melhor amigo (ou amiga) que você já teve.

> *Sabedoria é escolher agora aquilo que o fará feliz mais tarde. Não viva como se não houvesse amanhã, porque o amanhã sempre vem.*

Eu era insegura e queria sempre ser amiga das "pessoas populares", mas geralmente acabava me machucando. Eu buscava ter a aprovação dessas pessoas porque estava cheia de insegurança.

A INSEGURANÇA E O VÍCIO EM APROVAÇÃO

Como mencionamos na primeira parte do livro, pessoas inseguras se tornam facilmente viciadas em aprovação. Elas querem e precisam tanto da aprovação das pessoas que farão simplesmente qualquer coisa para consegui-la. Mas a segurança é parte da herança que Deus nos deu através de Jesus. Ele quer que nos sintamos seguros e à vontade em todo o tempo. Ele quer que sejamos livres para sermos nós mesmos e que nos sintamos aceitos. Deus nos dará essa liberdade e aceitação através de Jesus Cristo, se o buscarmos para alcançá-las.

Se você tem sido viciado em aprovação, ou se conhece alguém que o seja, você está ciente de esta é uma forma infeliz de se viver. Você nunca sabe quando terá a aprovação ou a reprovação das pessoas. Quando acha que descobriu o que elas querem, elas podem mudar de ideia. Você não fica livre para seguir o seu coração nem a direção do Espírito Santo porque precisa sempre pensar sobre o que as pessoas querem, e sobre o que as fará felizes.

> *Ele quer que sejamos livres para sermos nós mesmos e que nos sintamos aceitos.*

Meu pai era um homem totalmente disfuncional. Em outras palavras, ele não funcionava como um pai deve funcionar. Ele não só fazia uso de todo tipo de abusos, como era alguém impossível de se agradar. Ocasionalmente ele demonstrava sua aprovação por algo que eu havia feito, porém, eu podia fazer a mesma coisa em outra ocasião e ter problemas por ter feito aquilo. A atmosfera era terrivelmente instável e sobrecarregada pelo medo. Isso fazia com que eu me sentisse extremamente insegura. Eu estava sempre com medo de sofrer reprovação e de me meter em encrencas ou ser castigada. Eu me esforçava o máximo para tentar fazer o que achava que ele queria, mas essas coisas eram muito volúveis e, portanto, impossíveis de se imaginar. Passar por esse tipo de experiência finalmente transformou-me em uma pessoa "viciada em aprovação" – eu queria tão desesperadamente evitar a dor da reprovação, que estava disposta a fazer praticamente tudo para obter a aprovação das pessoas.

Tive de aprender a confrontar este vício em minha vida e a confrontar as pessoas que tentavam me controlar.

O CONFRONTO

Manter relacionamentos saudáveis às vezes requer confrontar pessoas. Isso significa que você precisa dizer 'não' mesmo quando a outra pessoa quer ouvir 'sim'. Significa que você pode ter de decidir fazer alguma coisa que sabe que a outra pessoa não aprovará, se sabe que essa é a melhor opção para você.

Se você não tem confrontado as pessoas, e agora está sendo controlado e manipulado, não será fácil mudar as coisas. Quando você desenvolve um padrão de agradar as pessoas por medo, é necessário um verdadeiro passo de fé para quebrar esse padrão.

Eu tinha muito medo do meu pai, e dizer 'não' a ele simplesmente não era uma opção. Quando saí de casa, caí no mesmo padrão de comportamento com outras pessoas que tinham uma personalidade parecida com a dele. Eu tinha dificuldades em manter minha liberdade, principalmente diante de pessoas de temperamento forte. Se estivesse com alguém que permitisse isso, eu me tornava a parte controladora; no entanto, se a outra pessoa tivesse uma personalidade dominante, eu sempre acabava sendo controlada. A verdadeira liberdade era uma coisa totalmente estranha para mim. Eu não sabia dar liberdade às outras pessoas, e não sabia como me apropriar do meu próprio direito de ser livre.

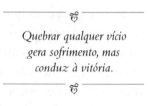

Quebrar qualquer vício gera sofrimento, mas conduz à vitória.

Se as pessoas não estão acostumadas a serem confrontadas, elas podem reagir de uma forma muito agressiva até que se acostumem com a mudança. É possível que você até tenha de explicar que entende que permitiu que elas fizessem tudo do jeito delas no passado, mas que você estava errado. Explique que você se sentia inseguro e precisava da aprovação delas, mas que agora precisa mudar as coisas. Será difícil para você e para elas, mas você precisa fazer isso para ter um relacionamento saudável.

Passe algum tempo orando a respeito antes de confrontar alguém. Peça a Deus para lhe dar coragem. Peça a Ele que ajude a outra pessoa para que ela se disponha a mudar. Aquilo que é impossível ao homem é possível para Deus (Ver Marcos 10:27).

O importante é tomar a decisão agora de que, com a ajuda de Deus, você quebrará o ciclo do vício em aprovação. De início, você pode se sentir muito desconfortável com o pensamento de que alguém não está feliz com você, mas deve se lembrar que a única outra opção que tem é passar a vida sentindo-se infeliz. Quebrar qualquer vício gera sofrimento, mas conduz à vitória. Podemos sofrer a caminho da vitória, ou podemos sofrer em um ciclo interminável de vícios. Se você vai sofrer, pelo menos que seja por um motivo que valha a pena.

No próximo capítulo, irei falar sobre um dos primeiros obstáculos que enfrentamos quando decidimos vencer o vício da aprovação – abandonarmos as feridas emocionais do passado.

CAPÍTULO 7

Superando a Dor dos Sentimentos

Abuso, rejeição, abandono, traição, decepção, julgamento, crítica, etc., tudo isso gera dor em nossas vidas. A dor emocional geralmente é mais devastadora do que a dor física. Uma pílula para dor ou outro medicamento pode aliviar a dor física, mas a dor emocional não é fácil de tratar. A maioria das pessoas se sente mais à vontade falando de sua dor física do que de suas dores emocionais. Parece que as pessoas acham que precisam esconder a dor emocional e simplesmente fingir que ela não é real, ou elas podem até se sentir culpadas por sentirem isso. Existe uma ideia na mente das pessoas de que aqueles que têm "problemas emocionais" são cidadãos de segunda classe. Podemos estar fisicamente doentes e todos sentem pena de nós, mas se tivermos problemas emocionais, somos olhados com suspeita. As nossas emoções fazem parte da nossa maquiagem, e elas podem se desgastar ou ficarem enfermas como qualquer outra parte da nossa anatomia.

Se você tem uma ferida emocional em sua vida, Jesus quer curar você. Não cometa o erro de achar que Ele só está interessado na sua vida espiritual. Jesus pode curar você onde quer que esteja doendo! Geralmente a raiz do vício em aprovação é uma ferida emocional. A Bíblia nos ensina que Jesus veio para curar as nossas feridas e para ligar e curar os nossos corações partidos, para nos dar beleza em vez de cinzas, e óleo de alegria para substituir o pranto (Ver Isaías 61:1-3). De acordo com esta passagem das Escrituras, Ele também veio para abrir as portas da prisão e os olhos dos que estão aprisionados. Ser viciado em aprovação é uma prisão, e oro para que este livro esteja começando a abrir os seus olhos.

Jesus pode curar você onde quer que esteja doendo!

Não podemos lidar com aquilo que não reconhecemos e compreendemos, mas uma vez que os nossos olhos tenham sido abertos, podemos aprender a desfrutar da liberdade que Jesus deseja para cada um de nós.

FAZENDO AS ESCOLHAS CERTAS

Precisamos começar a fazer as escolhas certas enquanto ainda estamos sofrendo, o que é difícil e doloroso. Por causa disso, algumas pessoas nunca conseguem se libertar. Geralmente temos de fazer a coisa certa durante muito tempo antes de começarmos a obter os resultados corretos. Precisamos agir corretamente e continuar a agir corretamente, deixando de lado o que sentimos a respeito. Por exemplo, tratar bem alguém que nos feriu no passado é emocionalmente e mentalmente doloroso. Parece inteiramente injusto e até mesmo algo tolo de se fazer. Afinal, por que deveríamos ser bons com alguém que nos feriu? Bem, se não conseguirmos encontrar nenhum outro motivo, podemos decidir fazê-lo simplesmente porque Jesus nos disse para fazer isso (Ver Mateus 5:38-44).

Se alguém me feriu, e sinto amargura por causa disso, aquela pessoa na verdade ainda está me ferindo. A amargura por si só é um tipo de dor. É uma atitude negativa que rouba a alegria e a paz. Entretanto, se eu estiver disposta a deixar a dor de lado e tomar a decisão de perdoar, ficarei livre.

Se meu marido, Dave, ferir meus sentimentos ou me decepcionar de algum modo, isso dói. Enquanto eu me recusar a perdoá-lo, continuará doendo. Assim que eu decidir fazer o que a Bíblia me ensina, que é perdoar e tratá-lo como se nada houvesse acontecido (Ver Mateus 6:14-15), fico imediatamente livre. Para ficar livre da dor, tenho de deixá-la de lado; tenho de decidir fazer a coisa certa *enquanto* ainda estou sofrendo.

Deixe-me contar-lhe uma história que ilustra este ponto. A cena se desenrola em um julgamento, em um tribunal na África do Sul:

> Uma frágil mulher negra de cerca de setenta anos se coloca de pé lentamente. Do outro lado da sala, encarando-a, há vários policiais brancos. Um deles é o Sr. Van der Broek, que acabava de ser julgado e considerado implicado nos assassinatos do filho daquela mulher e de seu marido havia alguns anos. Van der Broek tinha ido à casa daquela mulher, levado seu filho, atirado nele à queima-roupa e depois incendiado o corpo do rapaz enquanto ele e seus parceiros festejavam de perto.

Vários anos depois, Van der Broek e seus homens voltaram para buscar o marido da mulher. Durante anos ela não soube nada acerca do paradeiro dele. Depois, quase dois anos após o desaparecimento de seu marido, Van der Broek voltou para buscar a mulher. Como ela se lembra com detalhes vívidos daquela noite, em que foi levada a um local ao lado de um rio, onde lhe mostraram seu marido, amarrado e espancado, mas ainda forte espiritualmente, deitado sobre uma pilha de madeira. As últimas palavras que ela ouviu de seus lábios enquanto os policiais jogavam gasolina sobre seu corpo e o incendiavam foram: "Pai, perdoa-os..."

Agora a mulher está de pé no tribunal ouvindo as confissões feitas pelo Sr. Van der Broek. Um membro da Comissão pela Verdade e Reconciliação da África do Sul se volta para ela e pergunta: "E então, o que a Sra. deseja? Como podemos fazer justiça a este homem que destruiu a sua família tão brutalmente?"

"Quero três coisas", começa a velha senhora a falar calmamente, mas com confiança. "Primeiro quero ser levada ao local onde o corpo de meu marido foi queimado para que eu possa recolher o pó e dar aos seus restos mortais um enterro decente".

Ela fez uma pausa, e depois prosseguiu: "Meu marido e meu filho eram a minha única família. Portanto, em segundo lugar, quero que o Sr. Van der Broek passe a ser o meu filho. Gostaria que ele viesse duas vezes por mês até o gueto e passasse o dia comigo para que eu possa derramar sobre ele todo o amor que ainda existe dentro de mim". Ela também declarou que queria uma terceira coisa. "Este também é o desejo de meu esposo. Assim, gostaria de pedir que alguém fizesse a gentileza de vir até aqui e me levar até ao outro lado desta sala para que eu possa tomar o Sr. Van der Broek em meus braços e abraçá-lo e dizer a ele que ele está inteiramente perdoado". Quando os assistentes do tribunal foram ajudar a anciã a atravessar a sala, o Sr. Van der Broek, estupefato com o que acabara de ouvir, desmaiou. Quando isso aconteceu, os que estavam no tribunal, família, amigos, vizinhos – todos eles vítimas de décadas de opressão e injustiça – começaram a cantar, suavemente, mas com segurança, "Maravilhosa graça, quão doce é o som que salvou um perdido como eu"[1].

Embora pareça que a velha senhora que havia sofrido uma perda tão dolorosa estivesse fazendo um enorme favor ao Sr. Van der Broek – e realmente estava – ela na verdade estava fazendo mais por si mesma do que por ele. Por causa de sua atitude, o seu passado não tinha qualquer autoridade sobre o seu futuro. Ela não permitiria que a dor do passado envenenasse o seu posicionamento. A sua atitude glorificou a Deus.

Enquanto permanecemos irados, damos continuidade à nossa dor.

Deus não é glorificado pelo nosso sofrimento, mas Ele é glorificado quando temos uma atitude positiva enquanto sofremos. Tenho certeza de que aquela mulher teve de disciplinar seus sentimentos. Ela teve de fazer uma escolha que não foi nada fácil, mas a recompensa valeu a pena. Ela tomou a decisão certa enquanto ainda estava sofrendo, e aquela decisão contribuiu para pôr um fim à sua dor. Enquanto permanecemos irados, damos continuidade à nossa dor. Quando começamos a orar por aqueles que nos feriram e a abençoá-los, a dor é absorvida pelo amor. Como disse Mahatma Ghandi certa vez: "Os fracos nunca conseguem perdoar. O perdão é atributo dos fortes".

É PRECISO TER DISCIPLINA

A Bíblia diz que toda disciplina, no momento, não parece ser motivo de alegria; entretanto, mais tarde, ela produz fruto pacífico de justiça aos que têm sido por ela exercitados (Ver Hebreus 12:11). A justiça, ou fazer o que é certo, é um fruto que produz paz em nossas vidas. Nada nos faz sentir melhor do que simplesmente saber que fizemos o que era certo. Para mim, não há nada pior do que uma consciência culpada.

Quando somos confrontados pela dor, só temos três escolhas: (1) deixar a dor de lado agora; (2) deixar a dor de lado depois, ou (3) ficar com a dor para sempre.

A Bíblia diz que a disciplina às vezes é dolorosa. O simples pensamento sobre a palavra *disciplina* nos diz que teremos de escolher fazer algo que na verdade não estamos com vontade de fazer. Se temos vontade de fazer alguma coisa, não precisamos de disciplina.

Não preciso me disciplinar para comprar roupas novas porque gosto de fazer isso. No entanto, conheço uma mulher que odeia fazer compras, e ela espera até que tudo que tem para usar esteja totalmente fora de moda ou totalmente gasto antes de ir fazer compras. Ela tem de se disciplinar para fazer compras porque não tem os sentimentos para apoiá-la. Os meus sentimentos me dão grande apoio; portanto, não preciso de disciplina para fazer compras. Às vezes, tenho de me disciplinar para *não* comprar!

Meu marido, Dave, adora se exercitar. Ele costuma se exercitar desde os dezesseis anos de idade. Eu odeio me exercitar. Meu lema é: "Nada de dor! Nada de dor!" Gosto dos benefícios dos exercícios, mas não gosto de fazê-los. Não tenho vontade de me exercitar, então tenho de deixar a dor de lado para fazer isso. Para mim, exercício requer disciplina.

Precisamos deixar de lado a dor emocional da falta de vontade de fazer as coisas de que não gostamos. Do mesmo modo, também temos de deixar de lado a dor emocional do abuso, da rejeição, da reprovação, da traição, do julgamento e da crítica para nos libertarmos dela.

Não permita que o seu passado arruíne o seu futuro. Por que você permaneceria amargurado, irado e ferido enquanto aqueles que o feriram estão vivendo muito bem, sem ao menos saberem ou se importarem com o seu sofrimento?

Deus nos mostra na Sua Palavra como podemos ser livres, mas ainda assim temos de fazer escolhas que podem nem sempre ser fáceis ou que podem não nos parecer justas.

VOCÊ NÃO É O ÚNICO

A Bíblia nos lembra, em 1 Pedro 5:9, que devemos resistir firmes na fé aos ataques do diabo, sabendo que os mesmos sofrimentos estão se cumprindo entre os nossos irmãos espalhados pelo mundo.

Todos nós nos machucamos algumas vezes, e todos temos a mesma oportunidade de permitir que isso nos torne amargos ou melhores. Como as injustiças podem nos tornar melhores?

Por uma única razão: elas ajudam a desenvolver o nosso caráter. Fazer o que é certo quando não temos sentimentos que nos apóiem constrói um caráter forte em nós. Inteligência e talento são dons de Deus, mas caráter é algo que se desenvolve. Muitas pessoas têm dons que podem levá-las a lugares altos, mas elas não têm o caráter para mantê-las no lugar onde conseguiram chegar.

Não apenas é verdade que todas as pessoas se machucam, como também é verdade que todos nós nos machucamos muitas e muitas vezes. Isso pode não ser muito animador, mas é verdade. Lembro-me de certa ocasião quando Deus estava realmente tratando comigo para que eu confiasse mais em meu esposo e nas decisões dele do que havia feito no passado. Dave me ama e jamais me magoaria intencionalmente, mas ele também é humano e, portanto, falível. Então, perguntei ao Senhor: "E se ele me magoar?" O Senhor respondeu: "Ele provavelmente a magoará uma vez ou outra, mas Eu Sou Aquele que te sara. Eu vivo dentro de você, e estou sempre disponível para curar as suas feridas".

Inteligência e talento são dons de Deus, mas caráter é algo que se desenvolve.

Desperdiçamos tanto tempo tentando não nos ferir que não conseguimos desenvolver bons relacionamentos com as pessoas. Não devíamos gastar todo o nosso tempo tentando nos proteger. Deveríamos estar dispostos a nos entregar, e a oferecer as nossas vidas pelos outros (Ver João 15:13).

Podemos olhar para as pessoas e achar que elas nunca precisam passar por nenhuma dificuldade, mas todos nós passamos por todo tipo de situação. Algumas pessoas tiveram experiências devastadoras sobre as quais ninguém sabe coisa alguma. Elas vão ao trono de Deus com seus problemas em vez de irem para o telefone. Algumas pessoas aprenderam a arte de sofrer em silêncio. Elas sabem que só Deus pode ajudá-las, então não se preocupam em contar a todos que encontram o sofrimento que estão enfrentando.

Não é errado compartilhar nossos problemas com um amigo ou conselheiro, mas o x da questão é que não podemos supor que as outras pessoas não estão passando por desafios na vida apenas porque elas não parecem deprimidas ou não falam sobre seus problemas.

Meu esposo raramente fala sobre qualquer coisa que esteja atravessando. Houve uma época em que peguei algum tipo de vírus e contei a Dave que estava me sentindo mal, sentindo dores por todo o corpo, enjôo, etc. Quando disse isso, ele respondeu: "Tive isso há três semanas". Perguntei a ele por que não havia dito que estava doente, e ele respondeu: "Porque eu deveria lhe dizer o quanto estava me sentindo mal? Você não poderia fazer nada por mim".

Alguns de nós somos conversadores, outros não. Não cometa o erro de pensar que as pessoas não sentem dor simplesmente pelo fato de que não lhe disseram nada a respeito. Creio que é importante não pensarmos que somos os únicos que sofrem. Pedro lembrou as pessoas a quem estava escrevendo que resistissem ao diabo, sabendo que todos estavam passando pelo mesmo tipo de coisas que eles (Ver 1 Pedro 5:8-9). Lembrar esta verdade impede que nos sintamos sós e isolados em meio à nossa dor. Quando estou sofrendo, consola-me saber que, em algum lugar, alguém está sofrendo muito mais que eu, e que eu deveria ser grata por não ter problemas maiores do que os que tenho. Não estou só, e com a ajuda de Deus conseguirei superar a minha dificuldade. Isto também passará!

A PROMESSA DA RECOMPENSA

A promessa da recompensa nos ajuda a deixar de lado a dor da obediência:

> Em lugar da vossa [antiga] vergonha, tereis dupla honra; em lugar da afronta, exultareis na vossa herança; por isso, na vossa terra, possuireis o dobro [do que havíeis perdido], e tereis perpétua alegria. Porque Eu, o Senhor, amo o juízo. (Isaías 61:7-8, AMP)

> Restituir-vos-ei os anos que foram consumidos pelo gafanhoto migrador, o Meu grande exército que enviei contra vós outros. Comereis abundantemente e vos fartareis, e louvareis o nome do Senhor, vosso Deus, que se houve maravilhosamente convosco; e o meu povo jamais será envergonhado. (Joel 2:25-26)

Estas são duas das muitas promessas maravilhosas contidas na Bíblia. Deus é o "galardoador daqueles que o buscam ardentemente e diligentemente" (Hebreus 11:6). Se quisermos ser diligentes, devemos fazer o que é certo quando temos vontade e quando não temos. A Palavra de Deus nos dá muitos relatos de homens e mulheres que receberam instruções difíceis do Senhor com a promessa de uma recompensa caso decidissem obedecer.

Ester recebeu uma atribuição difícil, e a promessa da recompensa de salvar uma nação caso ela a aceitasse (Ver o Livro de Ester). Abraão recebeu instruções de deixar sua casa e sua família e ir para um lugar que Deus lhe mostraria posteriormente. Deus disse a ele que a sua recompensa seria tremendamente grande (Ver Gênesis 12:1 – 4; 15:1). José recebeu o sonho de que seria um grande governante, mas teve de deixar de lado a dor de ser rejeitado e odiado por seus irmãos. Ele suportou treze anos na prisão por um crime que não cometeu e manteve uma boa atitude durante todo o tempo. Mesmo na prisão, José continuou a ajudar as pessoas. Finalmente, ele conseguiu a recompensa prometida. Foi-lhe dada uma posição que o colocava em segundo lugar em todo o Egito depois do próprio Faraó. Durante um período de fome, ele pôde usar sua influência para salvar muitas pessoas, assim como a sua própria família, que o havia magoado. José teve uma atitude excelente. E Deus o recompensou por isso (Ver Gênesis 37-50).

> *Não há perigo de cansar os olhos por se olhar para o lado bonito das coisas, então, por que não tentar?*

Viktor Frankl deu a seguinte declaração:

> Nós que vivemos em campos de concentração nos lembramos de homens que iam de cabana em cabana consolando os outros, dando a eles o seu último pedaço de pão. Eles podiam não ser muitos, mas davam provas suficientes de que se pode tirar tudo de um homem, menos uma coisa; a última das liberdades humanas – escolher a atitude que terá diante de qualquer circunstância[2].

Não há perigo de cansar os olhos por se olhar para o lado bonito das coisas, então, por que não tentar? Ser negativo apenas torna uma jornada difícil ainda mais difícil. Podem lhe dar um cacto, mas você não precisa se sentar nele.

Fazer a coisa certa – deixar de lado a dor emocional – quando estamos tendo resultados imediatos não é muito desafiador, mas prosseguir fazendo isso quando parece que nada de bom está acontecendo na verdade é muito desafiador. Todas essas pessoas que mencionei tiveram de suportar o sofrimento para receber a recompensa prometida.

A DOR DA REPROVAÇÃO

Todas as pessoas viciadas em aprovação sentem dor emocional e mental quando suas atitudes são reprovadas. Para se libertar do vício da aprovação elas precisam deixar de lado a dor que sentem quando são reprovadas pelos demais. Os viciados em aprovação tentam evitar ou aliviar a dor da reprovação fazendo qualquer coisa que as pessoas queiram que elas façam. Deixe-me dar-lhe um exemplo do que quero dizer.

Uma jovem que conheço – vou chamá-la de Jenny – é viciada em aprovação. Sua mãe sempre foi difícil de agradar, e Jenny sentiu a dor da rejeição muitas vezes em sua vida. Como qualquer filho, ela quer ter a aprovação de sua mãe, o que é um desejo muito normal.

Jenny caiu na armadilha de "agradar às pessoas" no seu relacionamento com sua mãe, que é uma pessoa extremamente controladora. A mãe de Jenny espera que ela deixe de lado qualquer coisa que esteja fazendo para satisfazer cada capricho seu. Ela fica zangada caso Jenny já tenha feito outros planos e não possa levá-la aos lugares que ela deseja ou ajudá-la com os seus projetos. A mãe de Jenny não é nada razoável, mas o vício em aprovação de Jenny a torna não apenas infeliz, como também alimenta o vício que sua mãe tem em controlar pessoas.

Para ser livre e poder desfrutar de sua vida e de sua mãe, Jenny terá de decidir fazer o que ela sabe que é certo para ela, mesmo que isso signifique que sua mãe a reprovará. Ela precisa estar disposta a suportar a dor da rejeição. Todas as vezes que ela alivia a sua dor cedendo aos caprichos de sua mãe, ela alimenta não apenas o seu vício, como também o de sua mãe.

Você pode simplesmente fazer com que o seu vício morra de inanição decidindo-se a não alimentá-lo. Não lute contra os vícios, em vez disso, recuse-se a alimentá-los.

A decisão de não ceder será difícil para Jenny emocionalmente, porque ela sempre fez concessões e deixou que sua mãe fizesse as coisas do seu jeito. Não será fácil para a mãe de Jenny também, porque ela está viciada em ter o que quer. Ela precisa estar no controle para se sentir bem consigo mesma.

Você vê a armadilha que Satanás prepara para as pessoas? Jenny precisa ter aprovação, e sua mãe precisa ter o controle. O problema da mãe de Jenny controla Jenny, e o problema de Jenny alimenta o problema de sua mãe. Cada vez que Jenny disser 'não' e permanecer firme em sua decisão, a dor e o desconforto que ela sente diminuirão. Podemos comparar isto a uma dieta. Se uma pessoa é complacente consigo mesma e come em excesso por muito tempo, sua capacidade de armazenar comida aumenta. Se decidir cortar coisas em sua alimentação, sentirá a dor da fome nos primeiros dias em que diminuir a quantidade de comida. No entanto, a cada dia que passa, se permanecer firme em sua decisão de comer menos, sentirá menos desconforto até que finalmente poderá comer menos e não sentir desconforto algum.

O mesmo princípio se aplica a qualquer área da vida que precise ser disciplinada. Queremos qualquer coisa que estejamos acostumados a ter. Se não a temos, sentiremos desconforto até nos acostumarmos a passar sem ela.

Jenny terá de suportar uma certa dificuldade por algum tempo. Em alguns momentos, sua dificuldade lhe parecerá maior do que ela pode suportar, mas se ela se recusar a voltar a ser controlada por sua mãe, finalmente ficará livre, e temos esperança de que Jenny e sua mãe poderão desenvolver um relacionamento novo e saudável. Se Jenny e sua mãe estiverem dispostas, elas podem realmente começar de novo.

QUEBRANDO O CICLO DO VÍCIO

Quero encorajá-lo a substituir um vício por outro. Você provavelmente está pensando: "Isso não faz sentido algum!" Na verdade, quero que você substitua todos os vícios por um vício. Quero que você passe a ser viciado em Jesus! Você deve precisar dele mais do que precisa de qualquer outra coisa.

Mencionei que, para Jenny, haverá momentos em que ela achará que a sua dor e desconforto são maiores do que pode suportar. O que ela deve fazer em momentos assim? Ela precisa correr depressa para o Senhor – para a Sua Palavra e para as Suas promessas. Se estudar passagens selecionadas das Escrituras que a fortaleçam e animem, ela será capacitada a fazer a coisa certa.

A Palavra de Deus tem um poder inerente em si. Quando liberamos a nossa fé na Sua Palavra, esse poder é liberado nas nossas vidas e nas situações que enfrentamos para nos ajudar.

> *A oração libera poder em nossas vidas.*

Jenny também deve orar nesses momentos. Ela deve orar especificamente pedindo forças para não ceder às exigências de sua mãe, mas para permanecer firme na vontade de Deus. E não apenas nesses momentos, mas deve orar antes que eles se apresentem, com relação a estas áreas.

Aprendi a orar regularmente sobre áreas que sei que são pontos fracos em minha vida. Frequentemente esperamos até que estejamos no meio de uma tentação e achamos que a pressão que sofremos é maior do que podemos suportar. Jesus disse que devemos orar para não cairmos em tentação (Lucas 22:40). Seremos tentados, mas se orarmos regularmente e antes do tempo da tentação, tanto quanto nele, teremos maiores vitórias. A oração libera poder em nossas vidas.

A determinação e a disciplina são importantes para quebrar o ciclo do vício, mas receber fortalecimento sobrenatural de Deus é a verdadeira chave para o sucesso. Aprenda a correr para Ele em vez de correr para a substância ou para o mau comportamento que é o objeto do seu vício.

Passei tantos anos buscando a Deus todas as manhãs que agora não me sinto bem se não tiver meu tempo diário com Ele. Na verdade, fico mal humorada e ajo de forma impaciente durante todo o dia se não me alimentar da Sua Palavra e passar tempo na Sua presença. Nos anos 70, quando comecei a desenvolver o hábito de passar tempo diariamente com Deus, foi difícil. Outras coisas surgiam. Eu não conseguia me concentrar. Eu até me sentia entediada. Mas depois de anos dando a Deus o lugar de prioridade dentro do meu tempo, fiquei viciada nisso. Agora, sinto-me desconfortável se isso não acontece.

Todo vício prejudicial pode ser quebrado em sua vida. Você pode viver uma vida equilibrada, cheia de alegria e paz, se depender de Deus em tudo e para tudo. Ele é a sua Força. Você não pode derrotar os seus "Golias" sem a ajuda dele. Quando Davi foi contra o gigante Golias ele sabia que tinha de ir em nome do Senhor. Ele disse a Golias: "Hoje mesmo o Senhor te entregará nas minhas mãos" (1 Samuel 17:46). Davi sabia que não podia livrar a si mesmo, então ele colocou a sua confiança em Deus. É isto que você deve fazer, principalmente quando se deparar com o gigante do seu vício.

MANTENHA SEU PENSAMENTO NAS COISAS LÁ DO ALTO

A Bíblia diz que devemos pensar nas coisas lá do alto, e manter nosso pensamento nelas (Ver Colossenses 3:2). Como fui viciada em aprovação, sei o quanto é difícil não pensar nisso quando sentimos que alguém não está satisfeito conosco. Os pensamentos referentes à ira e à rejeição daquela pessoa parecem ocupar cada momento em que estamos acordados.

Em vez de tentar não ter pensamentos errados, escolha os pensamentos certos. Encha a sua mente de pensamentos positivos. Medite na Palavra de Deus e na vontade dele para você. Então, os pensamentos errados não encontrarão lugar para entrar.

Todos nós já tivemos a experiência de estarmos terrivelmente preocupados com alguma coisa, ou de termos a nossa mente girando sem parar em torno de um determinado problema. Se nos envolvemos em outra coisa que nos interesse, paramos de nos preocupar por algum tempo. Quando as coisas se aquietam e ficamos sós, ou quando não temos nada mais para fazer, começamos a nos preocupar de novo. Descobri que um dos melhores aliados contra os maus pensamentos é manter-se ocupado fazendo alguma coisa para alguém. Não tenho tempo de pensar em "mim" quando estou ocupada com a necessidade de outra pessoa. Assim, coloco a minha mente nas coisas lá do alto, e não nas coisas terrenas. Coloco a minha mente na instrução de Deus que me manda andar em amor (Ver Efésios 5:2).

> *Precisamos estar armados com os pensamentos corretos, ou desistiremos durante os tempos difíceis.*

Precisamos estar armados com os pensamentos corretos, ou desistiremos durante os tempos difíceis:

> Ora, tendo Cristo sofrido na carne [por nós], armai-vos também vós do mesmo pensamento [e propósito, para sofrer pacientemente em vez de deixar de agradar a Deus]; pois aquele que sofreu na carne [tendo a mente de Cristo] deixou o pecado [intencional] (deixou de agradar a si mesmo e ao mundo, e agrada a Deus). (1 Pedro 4:1, AMP)

Entenda e esteja plenamente ciente de que a mudança de vítima para vitorioso não se dará em um processo rápido. Levará tempo, mas o investimento valerá a pena no final. Lembre-se, você pode passar pela dor da libertação, que é temporária, ou permanecer na dor da escravidão, que nunca termina, a não ser quando é confrontada.

FAÇA, MESMO COM MEDO

O medo faz parte do vício em aprovação: o medo da rejeição, do abandono, de ficar só, e do que as pessoas pensarão ou dirão a nosso respeito. O medo não provém de Deus:

> Porque Deus não nos tem dado espírito de covardia, mas de poder, de amor e de moderação [de uma mente equilibrada, de disciplina e domínio próprio]. (2 Timóteo 1:7, AMP)

Ter medo significa fugir de alguma coisa. Deus não quer que fujamos das coisas. Ele quer que confrontemos as coisas, sabendo que Ele prometeu estar conosco, nunca nos deixar nem nos abandonar (Ver Hebreus 13:5).

Há momentos na vida em que precisamos fazer coisas, mesmo com medo. Em outras palavras, precisamos fazer o que sabemos que devemos fazer embora estejamos com medo. O medo é um espírito que produz sentimentos e cria mudanças fisiológicas. O medo pode fazer o coração bater mais rápido e mais forte. Ele pode gerar suor, tremores, pensamentos irracionais, e outras manifestações físicas. A Bíblia nunca diz que não devemos sentir nenhuma dessas coisas relacionadas ao medo; ela simplesmente diz que não devemos temer. Quando Deus disse ao povo "não temais", Ele queria dizer que eles deveriam seguir em frente, dando passos de obediência para executar as instruções que havia lhes dado. Em essência, Ele estava dizendo: "Isto não vai ser fácil, mas não fujam". Mark Twain disse: "Coragem é a resistência ao medo, o domínio do medo, e não a ausência de medo". Em outras palavras, há muitas pessoas orando para que as montanhas de dificuldades sejam removidas quando o que elas realmente precisam orar é para que tenham a coragem de escalar essas montanhas. Coragem é ser a única pessoa que sabe que temos medo.

Fugir das coisas difíceis é um dos nossos maiores problemas. Tentamos evitar a dor e o desconforto do medo. O medo traz tormento (Ver 1 João 4:18 KJV), e é doloroso. Devemos deixar de lado a dor e fazer aquilo que o medo exige que abandonemos. Como disse certa vez o escritor francês Michel de Montaigne: "Aquele que teme sofrer, já está sofrendo aquilo que teme".

Os viciados em aprovação têm medo da dor da rejeição. Eles passarão a vida fazendo as pessoas felizes enquanto perdem a sua própria alegria, a não ser que tomem a decisão de quebrar o ciclo do vício. Eles terão de "fazer, mesmo com medo". Eles terão de seguir a direção do Espírito Santo e de seu próprio coração em vez de seguirem a vontade e os desejos das outras pessoas.

Quando me tornei ciente deste princípio que chamo de "agir, mesmo com medo", foi algo transformador para mim. Sempre quis que os sentimentos de medo desaparecessem, mas o meu desejo não era realista.

Satanás geralmente utiliza o medo para nos impedir de progredir. Ele não irá parar de nos atacar com sentimentos de medo, mas podemos "não temer". Podemos "agir, mesmo com medo". A única saída é atravessar!

Em minha jornada de cura, chegou o tempo em que tive de confrontar meu pai a respeito dos anos de abuso que eu havia sofrido em suas mãos. Eu estava com tanto medo que sentia como se estivesse a ponto de desmaiar ou que minhas

> *Podemos "agir, mesmo com medo".*
> *A única saída é atravessar!*

pernas fossem falhar, mas sabia que tinha de ser obediente à instrução de Deus que me ordenava a confrontá-lo. Ninguém jamais havia confrontado o abuso em nossa família. Todos nós havíamos simplesmente fingido que éramos uma família normal, bem ajustada e amorosa. Ninguém jamais havia falado sobre o assunto; nós simplesmente nos escondíamos da verdade, e isso estava destruindo a todos nós.

Os sentimentos que são enterrados vivos nunca morrem; eles apenas minam nossa saúde mental, emocional, física e espiritual. Eles também têm um efeito devastador sobre o desenvolvimento de relacionamentos saudáveis. Podemos esconder as lembranças dolorosas, mas elas ainda estão ali, em algum lugar, fazendo o seu trabalho sujo.

Quando me encontrei diante de meu pai e comecei a falar sobre o que ele havia feito comigo em minha infância, o medo que senti foi absolutamente terrível. Ele começou a reagir com raiva e negação. Ele até começou a me culpar. Ao mesmo tempo, minha mãe gritava, chorava, e tinha um enorme ataque de ansiedade.

Agradeço a Deus por ter me dado a força para seguir em frente em vez de fugir e me esconder. Muitos anos se passaram desde aquele dia, mas aquilo abriu a porta para a verdadeira cura. Foi um processo que envolveu muitas fases. A fase final foi a salvação do meu pai. Ele me causou muita dor ao longo da vida, mas tive a alegria de batizá-lo depois de conduzi-lo a um relacionamento pessoal com Cristo. Se eu não tivesse "agido, mesmo com medo", quando Deus me instruiu a confrontá-lo, ainda estaríamos onde estávamos naquele tempo. Não podemos progredir se evitarmos o confronto.

Conheci um homem que estava sentindo fortes dores no peito. Ele tinha medo de ir ao médico e descobrir que tinha problemas cardíacos, então, ignorou a для, esperando que ela desaparecesse. Ele morreu pouco tempo depois! Aquilo que ele temia lhe sobreveio.

A Palavra de Deus nos diz que podemos ter aquilo em que acreditamos (ver Marcos 11:22-24), mas que também podemos ter aquilo que tememos.

A DOR DA SOLIDÃO

A dor da rejeição está ligada à dor de estar só. A solidão é um dos maiores problemas na vida das pessoas hoje em dia. Ela é a raiz por trás de muitos suicídios, assim como de muito sofrimento na vida das pessoas.

Estar com pessoas não garante que não estaremos sós. Podemos estar com pessoas e ainda assim nos sentirmos solitários, porque sentimos que somos incompreendidos, que não estamos tendo uma ligação com aqueles que nos cercam. Podemos estar em uma sala com pessoas, mas ainda assim nos sentirmos fora do grupo.

Precisamos superar a dor de estarmos sós e de nos sentirmos incompreendidos. Precisamos confiar em Deus para nos dar os relacionamentos corretos e não tomar decisões emocionais que só acabam por piorar o problema.

O medo de estar só pode nos levar a ser pessoas que tendem a agradar a todo mundo, e podemos terminar sem vida própria, amargos e nos sentindo usados pelos outros.

Estar só não significa ser só. Se você sabe quem é em Cristo, e gosta de si mesmo, pode apreciar estar só. Gosto de passar tempo comigo porque gosto de mim mesma. Algumas pessoas têm me criticado por eu dizer "Gosto de mim mesma". Elas acham que sou cheia de orgulho. Mas esse não é absolutamente o caso. Não gosto de mim mesma porque acho que sou maravilhosa. Gosto de mim mesma porque Jesus me ama, e Ele é maravilhoso! Gosto de mim mesma porque tomei a decisão de fazer isso, não porque sempre me sinta digna de ser amada. Como mencionamos no capítulo 5, eu finalmente decidi que se Jesus me amava o suficiente para morrer por mim, o mínimo que eu poderia fazer seria parar de me odiar e de rejeitar a mim mesma.

Quando tomei esta decisão, comecei a apreciar o meu tempo a sós. Antes disso, parecia que eu me sentia só independente de quantas pessoas estivessem comigo. Acho que sentimos solidão porque não gostamos de nós mesmos, muito mais do que porque não temos pessoas à nossa volta.

Qualquer de nós que deseje estar com pessoas pode fazer isso. Tudo que temos de fazer é encontrar outros que precisem de ajuda e ir ajudá-los. Pessoas que sofrem estão por toda parte. Todos nós podemos encontrar alguém por quem possamos fazer alguma coisa, se realmente desejarmos. Não é a falta de pessoas que gera a solidão; são os nossos medos acerca de nós mesmos, assim como o nosso medo da reprovação e da rejeição.

Em geral, passamos mais tempo tentando evitar a rejeição do que tentando construir bons relacionamentos. Podemos ter tanto medo de nos ferir que mantemos todas as nossas muralhas levantadas no esforço de nos protegermos e evitarmos a dor emocional.

Algumas pessoas se isolam. Elas acham que não podem se machucar se não se envolverem, mas o resultado é que elas se tornam solitárias. Muitas pessoas têm medo de confiar. Elas têm medo de serem sinceras e vulneráveis, temendo que as pessoas as julguem e critiquem ou que contem os seus segredos caso compartilhem alguma coisa de natureza particular ou pessoal. Todos esses medos e preocupações só aumentam o sentimento de solidão que muitas pessoas têm. Na verdade, esses medos são a raiz que causa a solidão.

> *Não é a falta de pessoas que gera a solidão.*

Como seres humanos, temos uma necessidade profunda de sermos compreendidos. Quando não recebemos isso, nos sentimos sós. Ouvindo as pessoas compartilharem seu sofrimento e dor, descobri que a palavra "Compreendo" tem um efeito muito tranquilizador. Disse a meu marido: "Ainda que você não faça a mínima ideia do que eu estou dizendo, apenas diga que você compreende, e isso fará com que eu me sinta muito melhor". Um homem não poderia, em circunstância alguma, entender o que é a TPM, mas é melhor para ele demonstrar que entende o momento difícil que sua esposa está passando. Ela precisa ser compreendida. Ela não quer se sentir só em meio à sua dor e à sua dificuldade.

Certo dia, meu marido chegou em casa após ter saído para tentar jogar golfe. Ele não havia tido uma experiência agradável porque sua perna estava dolorida e inchada. Ele não estava muito feliz com aquilo. Seu jogo de golfe é algo realmente importante para ele, então eu disse: "Entendo como você se sente". Eu ofereci toda a ajuda que podia dar a ele fisicamente, mas a minha compreensão pareceu ajudar mais do que qualquer coisa.

Houve momentos no passado em que minha atitude foi: "Grande coisa! É apenas uma partida de golfe. Afinal, você joga sempre!" Esta atitude iniciou brigas e construiu um abismo entre nós. Ele quer que eu entenda as necessidades dele, e eu quero que ele entenda as minhas.

Um de meus versículos favoritos na Bíblia está em Hebreus 4:15, que nos ensina que Jesus é um Sumo Sacerdote que entende as nossas fraquezas e enfermidades porque Ele foi tentado em todos os aspectos assim como nós, porém nunca pecou. Apenas saber que Jesus entende me faz sentir mais próxima a Ele. Isso me ajuda a ser vulnerável e a confiar nele, a me sentir ligada a Ele e não solitária.

Como seres humanos, temos a profunda necessidade de sermos compreendidos.

Supere a sua dor e siga em frente rumo à vitória. Seja determinado! Pare de simplesmente desejar que as coisas fossem diferentes e faça a sua parte para torná-las diferentes. Há dois tipos de pessoas no mundo: as que esperam que alguma coisa aconteça, e as que fazem as coisas acontecerem. Não podemos fazer nada separados de Deus, mas podemos decidir cooperar com Ele. Podemos encarar a verdade. Podemos parar de alimentar os nossos vícios e suportar a dor de deixá-los morrer de inanição.

É hora de mudar! Anime-se com o seu futuro e perceba que quando você está passando por alguma coisa, a boa notícia é que "você está passando", e isso significa que no final você sairá do outro lado com uma vitória que não lhe poderá ser tirada. A sua experiência o tornará mais forte e o capacitará a ajudar outros que estão enfrentando batalhas semelhantes.

Agora, vamos dar uma olhada no que significa deixar para trás qualquer vergonha do seu passado que alimente a sua necessidade de aprovação.

CAPÍTULO

Superando a Culpa e a Vergonha

8

Aos trinta e três anos, Christine Caine de repente descobriu que havia sido adotada. Foi muito chocante para ela, porque ela absolutamente nunca havia desconfiado disso. Nada jamais havia sido dito em sua família que nem mesmo remotamente pudesse indicar que ela havia sido adotada.

Quando ela recebeu os papéis do governo referente à sua adoção, encontrou neles uma terminologia que a feriu emocionalmente. Ela descobriu que não tinha recebido um nome. Uma carta na verdade dizia que ela era "indesejada". Sua mãe biológica não a queria e não lhe deu um nome. Ao mesmo tempo, ela estava tentando ministrar aos jovens, e a universidade à qual ela havia se candidatado para prosseguir com seus estudos disse que ela havia sido "desqualificada".

Muitas pessoas que descobriram de repente que haviam sido adotadas, que não haviam recebido um nome, que eram indesejadas e que foram desqualificadas para uma posição que desejavam teriam ficado arrasadas e teriam sentido culpa e vergonha, mas Christine não. Ela disse: "Antes que Deus me formasse no ventre de minha mãe (seja lá em que ventre isso aconteceu) Ele me conheceu e me aprovou como Seu instrumento escolhido" (ver Jeremias 1:5). Ela tomou a decisão de deixar seus sentimentos para trás e viver no que ela conhecia como a verdade com base na Palavra de Deus. Ela seguiu em frente para se tornar uma evangelista popular em um ministério mundial em expansão.

Christine poderia ter tomado outra decisão. Ela poderia ter decidido seguir o curso dos seus sentimentos, que a teriam puxado para baixo. Ela poderia ter se sentido de todas as formas que aquelas palavras descreviam: indesejada, desqualificada, não amada! Ela poderia ter sentido vergonha por sua mãe biológica realmente ter dito que não a queria. Ela poderia ter passado toda a sua vida viciada na aprovação das pessoas e vivendo para agradá-las simplesmente porque sua mãe biológica a havia rejeitado. Ela poderia ter se sentido culpada, como a maioria das pessoas que não recebem palavras de afirmação daqueles que deveriam amá-las. Graças a Deus por ela ter decidido deixar para trás todos os sentimentos negativos e crer nas promessas de Deus. Na Bíblia, o salmista diz: "Se meu pai e minha mãe me desampararem, o Senhor me acolherá [me adotará como filho]" (Salmos 27:10).

É fácil se sentar na igreja e dizer amém quando um professor ou pregador diz que devemos permanecer confiantes em qualquer situação. Mas é outra coisa totalmente diferente aplicar a mensagem quando temos uma necessidade em nossa própria vida. É fácil concordar com a mensagem se não tivermos sentimentos que nos empurrem para fazer a coisa errada. Para aplicar a Palavra de Deus, precisamos ir além dos nossos sentimentos e tomar uma atitude com base na verdade da Sua Palavra.

Christine passou anos na igreja. Ela conhecia muito sobre a Bíblia e estava ensinando-a a outros. Ela tomou a decisão de aplicá-la à sua situação. Certa vez, quando estava tendo um problema sério, perguntei ao Senhor o que deveria fazer, e Ele me disse para fazer a mesma coisa que eu diria a outra pessoa que me procurasse em busca de ajuda e que tivesse o mesmo problema que eu tinha agora. Simplesmente saber o que fazer é inútil se não o fizermos!

Christine agiu com base na Palavra de Deus e foi resgatada do que poderiam ser notícias devastadoras. Seus pais adotivos não haviam sido honestos com ela. Ela tomou a decisão de ser compreensiva, de acreditar no melhor, e de não guardar ressentimentos contra eles por não lhe dizerem que era adotada. Ela encontrou sua mãe adotiva e descobriu que ela morava no seu bairro, a apenas algumas quadras de onde Christine havia vivido a maior parte de sua vida. Ela tentou fazer contato, mas soube que sua mãe adotiva não queria ter absolutamente nenhum contato com sua mãe biológica. Aquele foi um tempo de testes profundos na vida de Christine. Tudo que havia aprendido estava sendo colocado à prova, e ela descobriu que Deus é fiel.

> *Simplesmente saber o que fazer é inútil se não o fizermos!*

Christine recebeu força do Espírito Santo e pôde permanecer confiante. Ela sabia que tinha valor e dignidade porque Deus a amava. Talvez ela não tivesse recebido um nome dado por sua mãe, mas Deus diz em Sua Palavra: "Não temas, porque Eu te remi [Eu te resgatei pagando o preço em vez de deixar você cativo]; *chamei-te pelo teu nome*; tu és Meu" (Isaías 43:1, AMP, itálicos inseridos pela autora).

Deus tinha um plano para Christine. Ela não era um erro; ela havia sido escolhida por Ele. A Sua unção a qualificava para qualquer coisa que Ele a tivesse chamado para fazer. Porque ela acreditou na Palavra de Deus, o diabo foi derrotado em seu plano de destruição. Ele esperava que as notícias do seu passado a deixassem arrasada e criassem dentro dela uma necessidade incontrolável por aceitação e aprovação, mas na verdade aquilo fortaleceu não só a ela, como também a outros com quem ela compartilhou sua história[1].

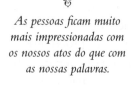

As pessoas ficam muito mais impressionadas com os nossos atos do que com as nossas palavras.

As pessoas ficam muito mais impressionadas com os nossos atos do que com as nossas palavras. Christine provou com suas atitudes que realmente acreditava naquilo que ensinava. Sua estabilidade no seu tempo de luta continua a encorajar outros no sentido de que eles não precisam ser derrotados pelas decepções e pelo que o mundo chama de "más notícias". O Evangelho de Jesus Cristo é o Evangelho de boas novas. Ele é tão bom que superará todas as más notícias que qualquer pessoa possa ouvir.

VERGONHA E CULPA

Pelo fato de meu pai ter abusado de mim sexualmente, eu sentia vergonha, uma vergonha que internalizava. A certa altura, houve uma transição negativa em meu modo de pensar, e eu já não sentia mais vergonha do que ele havia feito comigo; em vez disso, passei a sentir vergonha de mim mesma por causa daquilo. Tomei a culpa sobre mim e senti que devia haver algo de errado comigo para que meu próprio pai quisesse fazer aquelas coisas,

coisas que eu sabia que eram erradas e antinaturais. Durante anos, eu ouvia um recado que circulava sucessivamente em minha mente, e que dizia: "O que está errado comigo? O que está errado comigo? O que está errado comigo?" Esta foi uma das razões pelas quais fiquei tão entusiasmada quando aprendi que eu sou a justiça de Deus em Cristo (ver 2 Coríntios 5:21). Durante quase quarenta anos, senti que estava errada, e agora, finalmente, sinto que estou certa. É da vontade de Deus que nos sintamos bem com nós mesmos, e não mal.

Minha vida foi literalmente envenenada pela vergonha. Em alguns casos, pode-se definir ser envergonhado como estar confuso, decepcionado ou confundido. Confundido pode significar derrotado, deposto ou amaldiçoado. Ser amaldiçoado naturalmente significa ser condenado à punição. Portanto, se as pessoas têm uma natureza controlada pela vergonha, o resultado é que elas são condenadas à punição. Os maus sentimentos que elas têm sobre si mesmas atuam como uma forma de punição. Quando vivemos todos os dias de nossas vidas não gostando de nós mesmos, estamos sendo punidos, mesmo se formos nós mesmos que nos infligimos essa punição.

Assim como Christine, finalmente pude aprender a Palavra de Deus e aplicá-la à minha situação. Mas até fazer isso, fui muito infeliz. Saí daquela situação quando tinha dezoito anos, pensando que ela estaria terminada para sempre. Como mencionei anteriormente, eu não percebi, a não ser mais tarde, que muito embora tivesse saído da situação que havia causado o problema, ainda carregava o problema dentro da minha alma.

O que importa nesta vida é aquilo que se passa dentro de nós: nossos pensamentos, imaginações, atitudes, e sentimentos internos. As coisas que existem dentro de nós finalmente se tornam aparentes de um jeito ou de outro. Podemos pensar que conseguimos escondê-las onde ninguém pode encontrá-las, mas isto não é verdade.

Eu estava vendo os resultados do abuso sofrido em minha infância todos os dias; apenas não sabia que era aquilo que eu estava vendo. Colocava a culpa por muitos de meus problemas em outras pessoas e situações. Eu fugia dos meus problemas quando tinha dezoito anos, e através do jogo da culpa havia descoberto uma forma de continuar fugindo deles.

O JOGO DA CULPA

> Não te deixes vencer do mal, mas vence o mal com o bem.
> (Romanos 12:21)

Culpar os outros pela própria infelicidade só nos ajuda a evitar lidar com o problema real. O escritor Dr. Wayne Dyer disse:

> Todo processo de culpar pessoas é uma perda de tempo. Não importa quantas falhas você encontre em outra pessoa, e independente do quanto você culpe essa pessoa, isto não irá mudar você. A única coisa que o jogo da culpa faz é tirar o foco de você quando você está procurando motivos externos para explicar a sua infelicidade ou frustração. Você pode ter êxito em fazer com que outra pessoa se sinta culpada por algo colocando a culpa nela, mas você não terá êxito em mudar o que quer que seja em você mesmo que o esteja deixando infeliz [2].

Finalmente entendi que ninguém é responsável pela minha felicidade pessoal. Tentei fazer meu marido ser responsável por ela, culpando-o toda vez que eu não me sentia feliz. Culpei as circunstâncias, meu pai e minha mãe, o diabo, e até Deus. O resultado foi que continuei infeliz. Como disse certa vez o escritor britânico Douglas Adams, "Quando você culpa os outros, você abre mão do seu poder para mudar". Se você pudesse dar um chute no traseiro da pessoa responsável pela maioria dos seus problemas, você não conseguiria se sentar por um mês. Comece a assumir a responsabilidade pelas suas atitudes e reações, e você começará a mudar.

Através do jogo da culpa eu estava evitando ter de lidar com os problemas reais que precisavam ser confrontados em minha vida. Eu tinha uma infecção dentro de mim – não uma infecção no meu corpo físico, mas na minha alma. Ela estava se espalhando e afetando cada vez mais meus pensamentos, minhas atitudes, minhas conversas e minhas decisões. Na verdade, aquilo estava afetando toda a minha forma de ver a vida.

Era hora de parar de correr. Como cristã, eu falava sobre a "terra prometida", mas vivia no "deserto". Eu era como os israelitas dos tempos antigos que andaram em círculos continuamente no deserto com Moisés. Eles passaram quarenta anos tentando concluir uma jornada que deveria ter levado onze dias (ver Deuteronômio 1:2). Por quê? Entre outras coisas, eles sempre culpavam Moisés e Deus pelas suas dificuldades. Eles nunca assumiram a responsabilidade pelos seus atos. Tudo que saía errado era culpa de outra pessoa. Eles nunca aceitavam a sua própria culpa.

Eu havia sofrido abuso, e aquilo não era culpa minha. Era verdade que eu tinha alguns problemas que eram resultado direto desse abuso; mas o que eu precisava era parar de usar isso como uma desculpa para não mudar. A culpa nos mantém prisioneiros dos nossos problemas. Podemos no sentir amargos, mas nunca conseguimos melhorar. Fui tomada por pensamentos sobre o que as pessoas me haviam feito quando deveria ter estado ocupada orando sobre o que eu poderia fazer por eles ou pelos outros. A Palavra de Deus diz que devemos vencer o mal com o bem.

Pessoas feridas ferem as outras pessoas. Alguém havia ferido meu pai, e ele me feriu. Culpá-lo não mudaria esse fato. Ele era responsável, mas aquilo era para ser resolvido entre ele e Deus. Não era trabalho meu tentar fazê-lo pagar pelos seus erros.

Culpar os outros é um jogo doentio que o diabo joga com os nossos pensamentos e emoções. Mas se nos unirmos a ele e entrarmos no jogo, só o diabo sai ganhando – nós nunca vencemos! Se formos confrontados com algum problema, ele tenta nos mostrar alguém ou alguma coisa em que podemos pôr a culpa. Ele quer desviar a nossa atenção e momentaneamente aliviar a pressão que está sobre nós nos dando uma razão a mais que nos diga que nada é culpa nossa. Não entre no jogo dele!

Pessoas feridas ferem as outras pessoas.

As pessoas que têm uma natureza baseada na vergonha gostam de colocar a culpa em outras. Isso desvia a atenção delas do modo como se sentem acerca de si mesmas por algum tempo. A vergonha do passado é algo doloroso e difícil de encarar. Mas se esconder da verdade não significa que ela não exista. Na verdade, ela existe e continuará a causar problemas até que seja confrontada e tratada. Entenda isso e encare a realidade; isto será o princípio do fim dos seus problemas.

Eu me ressentia pelo fato de ter tido minha infância roubada. Nunca havia tido o privilégio de ser apenas uma criança sem preocupações, nem conseguia me lembrar de ter me sentido protegida e segura. Mas o ressentimento e a culpa não devolveriam a minha infância. A única resposta era encarar os fatos e confiar em Deus para me dar uma bênção dupla pelo meu antigo problema (ver Isaías 61:7). Eu não podia ter a minha infância de volta. Eu jamais poderia me sentar no colo do meu pai e me sentir segura, mas Deus podia fazer algo ainda melhor por mim se eu deixasse o passado para trás e confiasse nele.

Quando paramos de culpar as pessoas, Deus pode começar a trabalhar. Ele é perito em consertar o que Satanás tentou destruir. Ele pode realmente nos tornar melhores do que jamais poderíamos ser se nunca tivéssemos sido feridos.

VERGONHA E DEPRESSÃO

É comum uma pessoa que tem uma natureza baseada na vergonha ter depressão. É impossível alguém se sentir feliz se não gosta de quem é, ou se sente vergonha de si mesmo. Existem remédios que podem possivelmente auxiliar nos sintomas da depressão, mas nenhum remédio pode curar uma pessoa da vergonha. Somente o remédio da Palavra de Deus pode fazer isto. A Palavra de Deus me curou, e ela fará o mesmo por você, se você aplicá-la diligentemente.

Aplicar a Palavra de Deus significa lê-la, estudá-la e colocá-la em prática. Colocar em prática a Palavra de Deus significa fazer o que Deus nos instruiu a fazer na Sua Palavra em vez de fazer aquilo que pensamos, queremos ou sentimos. Seguimos os caminhos de Deus, e não o caminho do mundo. Aplicamos a Sua Palavra às nossas situações e a observamos trabalhando como Ele prometeu. Ler a Bíblia e não aplicá-la às nossas vidas seria como comprar remédio em uma drogaria e não tomá-lo. Poderíamos conhecer a respeito do remédio, mas a não ser que o tomássemos, jamais saberíamos se ele funciona ou não. Permaneceríamos doentes embora o remédio de que precisássemos estivesse em nossas mãos. Não apenas estude a Palavra de Deus – coloque-a em ação (Ver Tiago 1:22)!

Embora sentisse vergonha do meu passado, tomei a decisão de que não tinha motivos para me envergonhar. Eu era uma criança, e não poderia impedir o que aconteceu comigo. Não era culpa minha. Tive de repetir isto várias vezes. Eu havia carregado um falso sentimento de responsabilidade durante anos e sentia que era culpada pelo que houve, mas decidi acreditar na Palavra de Deus acima de crer nos meus sentimentos. Ao fazer isso, estava deixando para trás a culpa e a vergonha.

Precisei renovar minha mente (Ver Romanos 12:2). Aprendi a pensar sobre minha vida e sobre mim mesma de uma forma inteiramente nova.

Você e eu podemos sentir algo e, no entanto, saber em nosso coração que o que sentimos é incorreto. Não se pode confiar nos sentimentos para nos dizerem a verdade. Eles são instáveis. Eles mudam com frequência. Quando as coisas ficam difíceis nesta vida, posso ter vontade de desistir, mas sei e declaro que não o farei. Há vezes em que me sinto só e não amada, mas sei que o modo como me sinto não é correto. Reconheço que meus sentimentos estão tentando me governar, e recuso-me a dar a eles esse privilégio. Quando percebi que havia sentido vergonha durante anos, mas que na verdade eu não tinha do que me envergonhar, essa verdade começou a me libertar de uma vida de dor emocional, insegurança, medo e culpa.

VICIADA EM CULPA

Eu havia me sentido culpada a maior parte da minha vida por um motivo ou outro. Aprendi que era "viciada em culpa"; simplesmente não me sentia *bem* se não me sentisse *mal*. Estou certa de que você já se sentiu assim no passado e talvez esteja se sentindo assim agora mesmo.

Em minhas conferências, quando peço que as pessoas que estão enfrentando sentimentos de culpa levantem as mãos, na maioria das vezes um número avassalador de pessoas faz isso. Na Bíblia, Satanás é chamado de "o acusador dos nossos irmãos" (Apocalipse 12:10). Ele tenta fazer com que nos sintamos culpados e condenados. Quando isso acontece, não é Deus quem está tentando fazer com que nos sintamos assim. Ele quer que nos sintamos amados e perdoados. A culpa nos deprime e faz com que nos sintamos como se estivéssemos sob um fardo. Jesus veio para nos levantar, para trazer as boas novas de que os nossos pecados estão perdoados e a penalidade por eles foi removida:

> *Não se pode confiar nos sentimentos para nos dizerem a verdade.*

> Portanto, agora não há nenhuma condenação para os que estão em Cristo Jesus, que não andam segundo a natureza carnal, mas segundo o Espírito. (Romanos 8:1, KJV)

> Quem poderá trazer alguma acusação sobre os escolhidos de Deus? É Deus quem os justifica. Quem virá à frente para acusar ou impedir aqueles a quem Deus escolheu? Será Deus, que nos absolve?
>
> Quem os condenará? Foi Cristo Jesus que morreu; e mais, Ele ressuscitou dentre os mortos e está à direita de Deus, e também intercede a nosso favor. (Romanos 8:33-34)

Milhares de pessoas estão condenadas ao fracasso nos relacionamentos, assim como em muitas outras áreas, simplesmente porque são pessoas que vivem em vergonha, dominadas pela culpa. Ainda que não tenham feito nada de errado, elas imaginam que fizeram. É mais do que provável que sejam viciadas em aprovação, pessoas que não têm paz a não ser que sintam que todos as aprovam o tempo todo. Elas não conseguem desfrutar da vida porque até a satisfação faz com que se sintam culpadas.

Elas buscam obter dos outros aquilo que somente Deus pode dar, que é um senso de autoestima. Elas são viciadas em aprovação. Precisam de uma "dose" de elogios, gestos e olhares de aprovação apenas para sobreviverem por mais um dia. Elas impõem exigências impossíveis aos outros porque ninguém consegue fazer com que elas se sintam bem consigo mesmas se estiverem envenenadas por dentro pela culpa e pela vergonha.

As pessoas que mantêm relacionamentos com os viciados em aprovação se sentem manipuladas.

As pessoas que mantêm relacionamentos com os viciados em aprovação se sentem manipuladas em vez de amadas, pois o foco principal dos viciados em aprovação está em se sentirem bem consigo mesmos. Tudo está centralizado neles, e logo a outra parte do relacionamento se sente usada. Esses indivíduos feridos em geral são suscetíveis e se ofendem facilmente. Todos têm de pisar em ovos quando estão perto deles. Eles não podem ser confrontados ou corrigidos simplesmente porque já se sentem tão mal consigo mesmos que não podem suportar o fato de alguém sequer mencionar um erro neles ou uma área da sua personalidade que precisa ser melhorada.

Pergunte a si mesmo como você reage à correção e à crítica. Tente ser sincero na sua avaliação. Pessoas confiantes que se afirmam como pessoas de valor podem receber correção sem se irar ou sem adotar uma atitude defensiva. Deus diz que só um tolo odeia a correção (ver Provérbios 15:5). Por quê? Porque ele deveria ser sábio o bastante para querer aprender tudo que puder sobre si mesmo. Pessoas confiantes podem ouvir objetivamente outro ponto de vista; elas podem orar sobre o que está sendo dito e receber ou rejeitar aquilo de acordo com o que Deus colocar em seu coração.

Durante os anos em que eu era cheia de vergonha e culpa, não podia receber sequer uma pequena palavra de correção de meu marido. Se ele dissesse qualquer coisa que mesmo remotamente sugerisse que eu precisava mudar em algum aspecto, eu ficava emocionalmente perturbada, zangada e defensiva. Dave dizia sempre: "Só estou tentando ajudar você". Mas eu não conseguia superar o modo como me sentia quando recebia a ajuda dele ou a de qualquer outra pessoa. Se perguntasse a ele se gostava de uma roupa que eu estava usando, ficava na defensiva se ele dissesse que não. Eu não podia sequer permitir que ele me desse a sua opinião sincera. Se a opinião dele não concordasse com a minha, eu me sentia rejeitada.

Sou grata porque aqueles dias terminaram. Todos não precisam gostar do que gosto para que eu me sinta segura. É absolutamente maravilhoso podermos sentir aprovação por nós mesmos, porque acreditamos que Deus nos aprova, embora os outros talvez não o façam. É bom ser humilde o bastante para receber correção, mas confiante o bastante para não permitir que a opinião dos outros nos controle. Graças a Deus porque o Seu Espírito Santo está em nós, e Ele nos mostrará o que é certo para nós como indivíduos.

A INTROSPECÇÃO EXCESSIVA

Sei tudo a respeito da forma como as pessoas enraizadas na vergonha e dirigidas pela culpa pensam, sentem e agem, porque fui uma delas.

Um dos problemas com a vergonha é que ela cria um tipo de egocentrismo ao contrário. As pessoas enraizadas na vergonha pensam em si mesmas na maior parte do tempo; muito embora elas estejam se concentrando no que há de errado com elas, a mente delas ainda está focada nelas mesmas. Elas podem facilmente se tornar exageradas no seu auto-exame. Embora a Bíblia nos

As pessoas enraizadas na vergonha pensam em si mesmas na maior parte do tempo.

ensine a examinarmos a nós mesmos a fim de evitarmos o julgamento de Deus (ver 1 Coríntios 11:28; 2 Coríntios 13:5), podemos nos tornar exagerados nesse aspecto.

Somos instruídos pela Palavra de Deus a desviarmos nossos olhos de tudo que nos distraia de Jesus, que é o Autor e Consumador da nossa fé (ver Hebreus 12:2). Pare de olhar para tudo que está errado com você, e comece a olhar para o que está certo com Jesus. Aprenda a identificar-se com Ele. Entenda que Ele é o seu Substituto. Ele tomou o seu lugar e pagou a dívida que pertencia a você. Ele abriu a prisão da culpa, e você pode sair e ser livre. Para fazer isto, terá de superar a dor da culpa e da vergonha que possa sentir.

A verdade nos liberta quando a aplicamos às nossas vidas. A Palavra de Deus é a verdade (ver João 17:17). Ela nos diz que podemos viver sem reprovação. Podemos nos apresentar irrepreensíveis aos Seus olhos:

> Assim como [no Seu amor] nos escolheu [realmente nos separou para Si como propriedade Sua], nele, antes da fundação do mundo, para sermos santos [consagrados e separados para Ele] e irrepreensíveis perante Ele em amor. (Efésios 1:4, AMP)

Esteja aberto a qualquer coisa que o Espírito Santo queira revelar a você sobre si mesmo, quer essa revelação venha através de outra pessoa, de um livro que você esteja lendo, de um sermão que você ouça, ou diretamente do próprio Deus. Mas não saia em uma "expedição exploratória" ao seu interior. Não temos de tentar "entender a nós mesmos". O Espírito Santo nos conduz a toda a verdade (ver João 16:13). É uma obra progressiva, portanto, seja paciente e deixe que Deus fique na liderança.

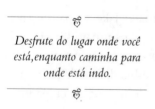
Desfrute do lugar onde você está, enquanto caminha para onde está indo.

Peça ao Senhor para libertá-lo de cada área de cativeiro em sua vida, e deixe que Ele escolha o tempo e o método. Enquanto isso, siga em frente e desfrute da sua vida e de si mesmo. Desfrute do lugar onde você está, enquanto caminha para onde está indo. Talvez você não esteja onde deveria estar, mas, graças a Deus, você não está onde estava antes. Você está avançando!

"MAS EU ME SINTO CULPADO"

Defina este tempo como o tempo de um novo começo. Decida-se a crer no Deus da Bíblia, e não no deus dos seus sentimentos. Os sentimentos tentam ser deus na nossa vida. Eles querem ter o controle. Os sentimentos podem ser considerados o inimigo número 1 do crente[3]. Satanás trabalha através deles para enganar os cristãos.

Quanto mais você renovar a sua mente estudando a Palavra de Deus, mais os seus sentimentos mudarão. Deus diz que o Seu povo é destruído por falta de conhecimento (ver Oséias 4:6).

Conheço um homem, a quem chamarei Jake. O pai de Jake era um homem irado. Ele era alcoólatra, e costumava ser violento quando estava bêbado. Sua mãe era extremamente tímida e tinha muito medo de seu pai. Ela se encolhia diante de tudo que ele dizia. O pai de Jake fazia com que ele se sentisse culpado o tempo todo. Ele era como um agente de viagens que organizava 'viagens de culpa'. Embora Jake buscasse a aprovação de seu pai, parecia que ele nunca conseguia agradar-lhe, independente do quanto tentasse. Jake passou a adolescência e os anos seguintes tentando agradar às pessoas. Ele tinha uma raiz de rejeição em sua vida que fazia com que nunca se sentisse aceito. Ele se sentia só e incompreendido, e vivia com uma sensação de culpa.

Depois que Jake recebeu Jesus como seu Salvador aos trinta e dois anos, e começou a ler a Palavra de Deus, percebeu que seus sentimentos de culpa eram um problema. Na verdade, ele não conseguia se lembrar de uma época em que não tivesse se sentido culpado por alguma coisa. Na maior parte do tempo ele nem mesmo sabia de qualquer coisa em particular que tivesse feito de errado; ele simplesmente se sentia culpado e cheio de condenação.

Jake não tinha qualquer aptidão para aproveitar a vida. Era um viciado em trabalho que procurava encontrar aceitação e aprovação através das suas realizações. Se ele alguma vez teve momentos em que se sentia bem consigo mesmo, estes eram imediatamente após alguma grande realização pela qual estava recebendo admiração e aplausos.

> *Nossa mente pode ser como alguns computadores, que podem conter toda uma vida de informações erradas armazenadas dentro deles.*

Jake também tinha um falso senso de responsabilidade. Quando alguma coisa dava errado em qualquer lugar, ele sentia que era sua responsabilidade consertá-la. Mesmo se aquilo não dissesse respeito diretamente a ele, sentia que tinha de fazer alguma coisa a respeito. Jake estava ficando cada vez mais depressivo quando começou a ver quais eram realmente seus problemas. Ele estava zangado com a maneira como sua vida havia evoluído. Ele tinha sentimentos amargos com relação ao seu pai e culpava sua mãe por não salvá-lo.

Mesmo depois que Jake viu a verdade na Palavra de Deus, ele continuava tendo todos aqueles sentimentos. Ele podia ler na Bíblia que Jesus o havia liberto do pecado e da culpa, mas isso a princípio não mudava os seus sentimentos.

Nossa mente pode ser como alguns computadores, que podem conter toda uma vida de informações erradas armazenadas dentro deles. Será necessário tempo para limpar todos os arquivos antigos e re-programar as novas informações. A Bíblia diz que as nossas mentes precisam ser completamente renovadas (ver Romanos 12:2). Somos como uma pessoa que decide que quer se tornar um advogado. Ela percebe no início que isto vai exigir um investimento de muitos anos para aprender o que precisará saber.

Jake começou a estudar a Palavra de Deus, e pouco a pouco sua mente foi renovada e ele aprendeu a pensar de modo diferente. Os seus novos pensamentos gradualmente começaram a controlar os antigos. Os sentimentos não desapareceram inteiramente por um bom tempo, mas ele podia controlá-los. Ele finalmente entendeu que seus sentimentos eram reações à sua vida passada. Jake começou a aprender a agir com base na Palavra de Deus, e a não reagir a antigas lembranças.

Jake aprendeu a importância do que ele dizia para si mesmo. A forma como falamos conosco mesmos e o modo como falamos a respeito de nós mesmos, quer em silêncio ou em voz alta, é de vital importância. Entre em acordo com Deus. Diga o que Ele diz a seu respeito. Se Deus diz que você é perdoado e que a sua culpa foi removida, então você deve dizer o mesmo. Não diga como se sente – diga o que você sabe!

Jake não se sente mais culpado o tempo todo. De vez em quando ele ainda tem um "ataque de culpa", mas pode raciocinar consigo mesmo e não deixar que seus sentimentos o controlem. Ele já não extrai o seu senso de dignidade e valor do trabalho. Ele aprecia seu trabalho, mas é capaz de separá-lo de quem é como filho de Deus. Ele não é viciado em aprovação, pois, embora deseje ser aprovado, sabe que desde que Deus o aprove, ele já tem tudo de que realmente precisa para ter êxito na vida.

Jake pôde perdoar seu pai. Seu pai ainda bebe muito e continua sendo crítico na maior parte do tempo, mas Jake já não recebe mais condenação por parte dele. Finalmente entendeu que seu pai é quem tem um problema, e não ele. Jake já não se sente mais responsável por manter seu pai feliz. Agora ele sabe que o problema de seu pai está dentro dele; não é algo que pode ser consertado por alguém do lado de fora. Jake ora por seu pai e lhe demonstra tanto amor quanto ele se permite receber. Ele espera que algum dia possa vir a conduzir seu pai a um relacionamento pessoal com Cristo. Ele não culpa mais sua mãe, pois entende que ela fez o melhor que podia nas condições em que estava. Ela sofreu imensamente na vida, e Jake sente compaixão por ela.

> *Se você passou por alguma coisa, pode ajudar outra pessoa a atravessar.*

Jake encontrou uma mulher e apaixonou-se por ela. O que é interessante é que ela tem alguns dos mesmos problemas que Deus ajudou Jake a superar. Ele poderá ajudá-la a encontrar a restauração através de Cristo, assim como ele encontrou.

Não se desgaste sentindo vergonha e culpa. Use o que você aprendeu para ajudar os outros. Se você passou por alguma coisa, pode ajudar outra pessoa a atravessar. O que aconteceu com Jake só foi possível através da Palavra de Deus, do sacrifício de Jesus, e da obra do Espírito Santo em sua vida. A mesma ajuda está disponível a cada pessoa que deseje recebê-la. Sejam quais forem os problemas que você esteja enfrentando em sua vida agora mesmo, não permita que os seus sentimentos o controlem. Compare-os com a Palavra de Deus, e exalte a Sua Palavra acima dos seus sentimentos. Lembre-se disto: Você pode fazer o que é certo mesmo se sentindo errado. Faça as escolhas certas independente de como se sente, e logo você estará experimentando uma liberdade maior do que jamais conheceu. Fazer a escolha certa quando você se sente errado é deixar o vício morrer de inanição. Se não alimentá-lo, logo ele perderá a sua força e não terá poder sobre você.

Agora que tratamos do vício da vergonha e da culpa, quero dar uma olhada em outro tipo de emoção que precisamos vencer na nossa batalha contra a necessidade de aceitação.

CAPÍTULO 9

Superando a Ira e a Falta de Perdão

Você às vezes se ira? É claro que sim; isso acontece com todos nós. Deus nunca nos disse para não sentirmos ira. Ele diz: "Irai-vos e não pequeis" (Ef 4:26). Podemos sentir ira, e isto é importante, mas é a forma como processamos a nossa ira que é o mais importante. Poderia parecer a princípio que a ira não tem nada a ver com os vícios em aprovação, mas quando olhamos para a raiz dos problemas de excesso de ira, eles quase sempre encontram a sua semente em problemas anteriores. A ira pode ser apenas uma outra faceta da nossa luta por aceitação. Descobri que muitas pessoas que se iram frequentemente têm uma raiz de insegurança em sua vida. Aqueles que se ofendem facilmente e são hipersensíveis na verdade são inseguros; eles precisam ser tratados bem para se sentirem bem consigo mesmos. De alguma forma, esperam ser tratados mal porque lá no fundo eles se sentem mal consigo mesmos. No entanto, quando isso acontece, eles se iram porque aquilo que temiam sobre si mesmos foi confirmado, pelo menos na mente deles.

A Palavra de Deus nos diz para não deixarmos o sol se por sobre a nossa ira (ver Efésios 4:26). Quando permanecemos irados, damos abertura ao diabo para atuar em nossas vidas (ver v. 27), abrindo uma porta para ele agir. A maior parte do terreno conquistado por Satanás na vida do cristão é conquistada por meio da amargura, do ressentimento, e da falta de perdão. Pessoas que levantam vôo rapidamente ao se irarem sempre aterrissam mal. Quando as nossas emoções estão fora de controle, o mesmo acontece com a nossa vida. A ira faz com que a nossa boca trabalhe mais rápido do que a nossa mente. Acabamos dizendo e fazendo coisas das quais nos lamentamos mais tarde.

Deus promete a Seus filhos uma vida abençoada e abundante, se eles obedecerem aos Seus mandamentos. Permanecer irado e abrigar sentimentos cruéis para com os outros é desobediência. Precisamos entender que a ira prolongada é pecado. Se não a olharmos como ela é, podemos ser tentados a ficar presos a ela. William Secker, um pastor do século XVII, disse: "Aquele que quiser se irar e não pecar, não deve ficar irado com outra coisa a não ser com o pecado". Fique irado com o pecado da ira, e você não será tentado a persistir nele.

Em vários dos livros que escrevi incluí um capítulo sobre a ira. Embora, como escritora, eu me esforce para apresentar materiais novos, este é um assunto que não pode ser ignorado. Devemos ser rápidos em perdoar. Precisamos lidar adequadamente com a emoção da ira. Se não o fizermos, as consequências serão devastadoras.

Uma pessoa ferida não pode receber cura emocional enquanto permanecer irada. Deus nos manda perdoar tão liberalmente quanto Ele nos perdoou (ver Efésios 4:32). Nesta vida, precisamos estar dispostos a ser muito generosos com relação ao perdão.

É uma coisa que geralmente precisamos dar, pelo menos até certo ponto, todos os dias.

"NÃO É JUSTO"

Quando somos maltratados, parece totalmente injusto simplesmente perdoar aqueles que nos feriram. Sentimos que alguém tem de pagar pelo que nos aconteceu. Quando sofremos, queremos colocar a culpa em alguém. Queremos justiça! Precisamos nos lembrar que Deus é justo (ver Deuteronômio 32:4). A Sua Palavra promete que Ele finalmente endireitará tudo que está errado, se apenas confiarmos nele (ver Isaías 61:7-8).

Às três horas da manhã, acordei de repente e ouvi o que me parecia ser uma voz audível que dizia: "Se Deus é real, então Deus é justo". Foi como se Deus quisesse me lembrar de uma forma muito forte que eu poderia sempre contar com Sua justiça em minha vida. Isto foi muito confortador para mim. A Bíblia nos ensina no Salmo 37 a não nos aborrecermos por causa dos homens maus, porque Deus tratará com eles (ver vv. 1-2). O versículo 8 diz: "Evite a ira e rejeite a fúria; não se irrite – isso só leva ao mal".

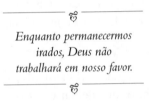

Enquanto permanecermos irados, Deus não trabalhará em nosso favor.

Se alguém nos maltratou e permanecemos irados com esse alguém, somos tão culpados quanto a pessoa que cometeu o abuso contra nós. Deus instruiu aquela pessoa a não maltratar ninguém, mas Ele também nos instruiu a não permanecermos irados. Enquanto permanecermos irados, Deus não trabalhará em nosso favor. Deus começa onde nós terminamos. Várias vezes na Palavra de Deus recebemos ordens para perdoar aqueles que cometeram abuso contra nós ou que nos maltrataram, orar por eles e amá-los, e esperar pela justiça de Deus:

> Não pagando mal por mal ou injúria por injúria (repreensão, censura, bronca); antes, pelo contrário, bendizendo [orando pelo bem, felicidade e proteção deles, e realmente compadecendo-vos deles e amando-os]; pois para isto mesmo fostes chamados, a fim de receberdes bênção por herança [de Deus – para que possais obter bênção como herdeiros, trazendo o bem, a felicidade e a proteção]. (1 Pedro 3:9, AMP)

> Digo-vos, porém, a vós outros que me ouvis: [para terem isto em mente, adquiram esta prática] amai os vossos inimigos, fazei o bem [ajam com nobreza para com] aos que vos odeiam; bendizei aos que vos maldizem, orai (pelo favor de Deus) pelos que vos caluniam [que criticam, reprovam, menosprezam, ou abusam de você de forma dominadora]. (Lucas 6:27-28, AMP)

Estas instruções não são fáceis de seguir. Obviamente, é impossível fazer isto a não ser que optemos por deixar os nossos sentimentos para trás. Sim, temos de fazer força. Precisamos fazer um esforço para esquecer e abandonar a ira. Parece quase que injusto da parte de Deus até mesmo nos pedir para fazer algo assim. Se você quer saber a verdade, eu realmente acredito que esta é uma das coisas mais difíceis que Deus pede de nós. É difícil, mas não impossível. O Senhor nunca exige que façamos qualquer coisa sem nos dar a capacidade para fazê-la. Talvez não queiramos perdoar, mas somos capazes de fazê-lo com a ajuda de Deus.

VOCÊ ESTÁ REALMENTE SENDO MALTRATADO?

As pessoas inseguras geralmente acham que estão sendo maltratadas quando na verdade este não é o caso. Posso me lembrar de ter me sentido maltratada e zangada quando Dave não concordava comigo sobre questões menores. A opinião dele, que certamente era um direito seu, era simplesmente diferente da minha, mas eu era tão insegura que me sentia rejeitada. Como se diz, "eu fazia uma tempestade em um copo d'água". Transformava um incidente mínimo em uma tragédia por ser tão hipersensível. Quando não conseguia que as coisas fossem do meu jeito, eu me sentia maltratada e ficava zangada. Quando era corrigida até de uma forma mínima, reagia com ira e sentia que estava sendo tratada injustamente.

A questão é: talvez você esteja acreditando que está sendo tratado injustamente quando este não é o caso. O modo como eu processava as reações das pessoas para comigo estava totalmente desequilibrado por causa do abuso que sofrera no passado. Eu não podia discernir corretamente quando estava realmente sendo maltratada em comparação com as situações em que as pessoas estavam simplesmente sendo sinceras comigo acerca dos seus próprios sentimentos.

A verdade é que eu era muito irada porque era muito insegura.

PROCURANDO POR UMA COMPENSAÇÃO

As pessoas que foram feridas não apenas ficam iradas, mas geralmente também buscam uma compensação pelas injustiças feitas. Há o sentimento de que algum tipo de pagamento lhes é devido pelo seu sofrimento. Deus declara claramente que a vingança é *dele*. Ele diz que retribuirá aos nossos inimigos e nos compensará; Ele realmente promete uma bênção dobrada pelo nosso problema anterior (Ver Romanos 12:17-19 e Isaías 61:7). Finalmente aprendi que se alguém estava realmente me maltratando, eu não precisava ter a compensação exata. Eu podia confiar que Deus traria a justiça que fosse necessária, caso ela fosse necessária.

Meu pai me feriu, e eu não confiava no Dave. Meu pai não me disciplinou adequadamente, portanto eu tinha medo de deixar o Dave disciplinar nossos filhos. Meu pai fez mau uso da sua autoridade sobre minha vida, então, fui rebelde para com a autoridade de Dave.

Sei que parece tolice, mas todos nós temos a tendência de fazer o mesmo. Queremos que alguém pague pela nossa dor, e uma vez que não podemos receber com frequência da pessoa que nos feriu, ferimos outras pessoas. Elas ficam confusas porque não têm ideia do porque estamos respondendo a elas do modo como estamos. Deus quer que nós confiemos que Ele nos restituirá. Ele trouxe uma recompensa maravilhosa para a minha vida. Ele me deu favor e me promoveu além de qualquer coisa que eu jamais poderia imaginar, mas primeiro eu tinha de "relaxar e deixar Deus ser Deus".

Relaxe e deixe Deus ser Deus.

Uma pessoa a quem chamarei de Janet tinha este problema. O pai de Janet não demonstrava amor e afeição por ela. Quando ela se casou, esperava que seu marido John a suprisse com aquilo que lhe faltara. Naturalmente, não cabia a ele dar-lhe o que ela não havia recebido na infância. Ele não entendia as atitudes dela, mas ela também não. Janet estava reagindo com base em antigas feridas que ainda precisavam ser curadas.

Janet exigia um excesso de atenção por parte de John. Ela o pressionava para estar com ela o tempo todo e tinha ciúmes de qualquer amigo que ele tivesse. Ela jamais recebeu aprovação de seu pai, e assim, tornou-se uma pessoa viciada em aprovação. John tinha de tentar fazer com que ela se sentisse bem consigo mesma o tempo todo. Se ele deixasse de dizer que ela estava bonita ou que o jantar estava ótimo, ela se sentia magoada e ignorada e o atacava com palavras cheias de ira. John se sentia controlado e manipulado; embora ele amasse Janet, estava começando a se sentir oprimido e se perguntava se havia cometido um erro ao casar-se com ela. Ele tentava com todas as forças agradá-la, mas nada parecia ser o bastante; portanto, ele se sentia derrotado a maior parte do tempo.

Quando ele e Janet se casaram, John costumava ser um sujeito feliz e sereno, mas agora se sentia deprimido, desanimado e zangado. Ele detestava voltar para casa do trabalho à noite e não esperava ansiosamente os finais de semana. Janet e John precisavam de ajuda!

É triste dizer que Janet recusou-se a receber ajuda; ela colocava a culpa de tudo em John, e finalmente acabaram se divorciando. Este cenário se repete com frequência na nossa sociedade de hoje. A taxa de divórcios está mais alta do que nunca, e isto se deve em parte ao fato de que as pessoas que foram feridas no passado tentam fazer com que as pessoas que fazem parte do presente delas lhes restituam algo que não teve nada a ver com elas. Por causa das antigas feridas, elas acham que estão sendo tratadas de maneira errada quando na verdade não é isso que acontece. Elas precisam aprender, assim como eu tive de aprender, que se elas se "sentem" feridas isto não significa necessariamente que alguém realmente as está ferindo.

Se as pessoas envolvidas em casos deste tipo forem cristãs, e se elas permitirem que Deus o faça, Ele as curará e trará justiça para suas vidas. Se elas não forem cristãs, ou se forem cristãs mas se recusarem a ser obedientes às instruções de Deus, arruinarão completamente o seu relacionamento, ou, na melhor das hipóteses, seguirão manquejando em um estado de infelicidade enquanto sua situação piora gradativamente. Elas provavelmente começarão a sentir os efeitos em seu corpo físico, e terá início uma série de consultas a médicos. Elas terminarão tomando remédios para dor de cabeça, para dores no corpo, para depressão, ansiedade, distúrbios do sono, problemas de estômago, e uma longa lista de outras desordens. Os remédios podem dar um certo alívio, mas a raiz do problema deles é o estresse – estresse que foi criado por tentarem obter compensação pelos sofrimentos passados em vez de entenderem que o trabalho deles é perdoar aqueles que os feriram e confiarem em Deus para lhes fazer a restituição.

Entenda, às vezes os remédios são necessários, e não estou desconsiderando este fato. Mas embora os sintomas sejam reais, eles geralmente estão relacionados ao estresse. Estou falando somente às causas subjacentes que muitos deixam de reconhecer e tratar espiritualmente.

PARE DE USAR COISAS QUE NÃO LHE CABEM

Portanto, como povo escolhido de Deus, santo e amado, revistam-se *de profunda compaixão, bondade, humildade, mansidão* e paciência. *Suportem-se uns aos outros e perdoem as queixas que tiverem uns contra os outros, Perdoem como o Senhor lhes perdoou.* (Colossenses 3:12-13, NVI, ênfases da autora)

Fomos criados para receber e dar amor. Se fizermos qualquer outra coisa, será como se vestíssemos roupas apertadas demais para nós. Detesto usar uma saia ou um par de calças que estão apertados demais na cintura. Sinto-me desconfortável o dia inteiro. Muitas pessoas se sentem desconfortáveis o tempo todo. Elas sentem um peso no seu espírito; não têm alegria ou paz. Essas pessoas podem estar lutando regularmente contra sentimentos de depressão. O triste é que é possível alguém desperdiçar toda a sua vida se sentindo assim e nunca encarar a verdade sobre a raiz que é a causa do problema.

Fomos criados para receber e dar amor.

Odiar as pessoas é um trabalho árduo, e ele envenena a nossa vida. Deus nos diz na Sua Palavra para "nos revestirmos do amor" (ver Colossenses 3:14, NVI). Devemos nos vestir como representantes de Deus, que é amor (ver Colossenses 3:12 e 1 João 4:4). Somos instruídos a nos revestirmos de um comportamento marcado pela misericórdia, pela terna compaixão, pela bondade, mansidão e paciência, que é incansável e tolerante. Somos desafiados a sermos pessoas que têm o poder de suportar o que quer que aconteça, com bom humor, a perdoarmos prontamente uns aos outros; assim como o Senhor nos perdoou liberalmente, assim devemos perdoar uns aos outros (ver Colossenses 3:12-13).

Deus nos diz que quando nos recusamos a perdoar aqueles que nos feriram, Ele também não pode perdoar as nossas transgressões (ver Mateus 6:15). A recusa em perdoar nossos inimigos ergue uma barreira entre nós e Deus. Isso afeta negativamente todos os nossos relacionamentos. Quando estamos irados isso emana de nós, independente de com quem estamos irados. A recusa em perdoar afeta negativamente a nossa fé, pesa fortemente em nossa consciência, e impede a verdadeira adoração. A Bíblia realmente diz que não podemos dizer que amamos a Deus se não amamos os nossos irmãos em Cristo:

> Se alguém disser: Amo a Deus e odiar (detestar, abominar) a seu irmão [em Cristo], é mentiroso; pois aquele que não ama a seu irmão, a quem vê, não pode amar a Deus, a quem não vê. Ora, temos da parte dele, este mandamento (responsabilidade, ordem, imposição): que aquele que ama a Deus ame também a seu irmão [crente]. (1 João 4:20-21, AMP)

O amor é muito mais do que um sentimento agradável a respeito de alguém. O amor é uma decisão. Quando somos instruídos na Palavra de Deus a nos "revestirmos do amor", isto significa que devemos escolher amar as pessoas. É algo que fazemos intencionalmente, quer sintamos ou não. Eu não creio que tenho uma opção sobre perdoar alguém que me feriu ou que me tratou injustamente. Desisti do direito de dirigir minha própria vida há muito tempo. Quero a vontade de Deus, portanto preciso fazer as coisas do jeito dele.

Recentemente foram publicados alguns artigos de jornal muito grosseiros e injustos sobre o nosso ministério e a nossa família. Concordamos em dar entrevistas e nos disseram que seriam escritos artigos favoráveis com base nelas. Permitimos que o fotógrafo que trabalhava para o jornal assistisse às nossas conferências para tirar fotografias. O homem deve ter tirado mil fotografias. Mas uma das fotografias de maior destaque publicada no jornal foi uma que mostrava nossos introdutores de pé no fundo do salão, segurando os sacos para as ofertas. Isto naturalmente deu a impressão de que éramos pessoas ávidas por dinheiro, ministros desonestos que estavam tirando vantagem do povo.

Durante quatro dias, as primeiras páginas do jornal da nossa cidade estavam cheias de informações a nosso respeito que foram tiradas de contexto e apresentadas de forma desequilibrada. Aquilo me feriu profundamente. Amo as pessoas da minha cidade, e não queria que eles achassem que não podiam confiar em mim. Durante algum tempo, fiquei constrangida até mesmo em sair de casa, por causa do que as pessoas poderiam estar pensando. Fui testada em tudo o que eu já havia dito ou escrito sobre perdoar os nossos inimigos. O nível da minha confiança foi testado. Mas aprendi por experiência própria que eu poderia sobreviver ainda que todos não me aprovassem. Deus me deu graça para continuar seguindo em frente, mas foi algo difícil do ponto de vista emocional.

Eu queria desesperadamente me defender contra os meus críticos, mas Deus continuava me dizendo para perdoá-los, para orar por eles, para me recusar a falar mal deles, e para observá-lo operar. As pessoas da cidade que nos amavam começaram a ligar para o jornal para nos defender. Na verdade, os artigos geraram grande barulho no escritório do jornal. Muitas pessoas cancelaram suas assinaturas. Uma mulher ligou para o nosso escritório e disse: "Nunca fui uma contribuinte do seu ministério, mas estou cancelando minha assinatura do jornal e estarei lhe enviando o valor que pagava a eles todos os meses de agora em diante".

Esperamos para ver como os artigos afetariam nosso ministério. Será que as pessoas começariam a reduzir suas ofertas ou as eliminariam completamente? Será que as pessoas continuariam assistindo às nossas conferências? Que tipo de comentários nós receberíamos? O resultado foi glorioso. O ministério cresceu em todos os aspectos. Nosso apoio financeiro cresceu, a audiência às nossas conferências aumentou, e as pessoas em geral nos encorajaram e nos defenderam. Realmente sentimos que aquele evento nos projetou para um novo nível em nosso ministério.

Foi crucial para nós obedecermos a Deus durante aquele tempo e não tentarmos vingar a nós mesmos. Andar em amor não é fácil quando as pessoas não estão agindo amorosamente. Realmente achei que o jornal foi muito hostil, malévolo e, em alguns casos, inteiramente desonesto, mas Deus usou aquele evento para nos promover. A Bíblia diz em Romanos 8:28 que todas as coisas cooperam para o bem daqueles que amam a Deus e que são chamados segundo o Seu propósito. Continuamos amando a Deus e fazendo o que sentimos que Deus nos chamou para fazer. Em vez de reagirmos com ira, confiamos que Ele cuidaria de nós, e Ele o fez.

No final, vale a pena fazer a escolha certa.

Quis compartilhar este exemplo com você porque ainda posso me lembrar da dor que senti quando li aqueles artigos. Eu havia acabado de chegar de uma conferência fora da cidade. Estava muito cansada e não estava com humor para levar um choque. Enquanto lê este livro, você pode estar passando pela dor de ser julgado e criticado, traído, rejeitado ou reprovado. Se isso está acontecendo em sua vida, você pode estar tentando lidar com sentimentos de ofensa, falta de perdão, amargura, ressentimento e ira. Quero apenas que saiba que realmente sei como você se sente, e sei que nem sempre é fácil superar esses sentimentos.

Também sei que fazer a escolha certa vale a pena no final, portanto, anime-se com o meu testemunho para deixar a ira e a falta de perdão para trás. Acredito que se fizer isso, você verá a justiça de Deus manifestada na sua vida. Ele lhe dará o dobro de bênçãos pelos seus problemas anteriores. Ele o livrará e o promoverá, se você continuar andando em amor.

Faça o que você sabe que é certo, e não o que você sente vontade de fazer!

QUEM É O SEU VERDADEIRO INIMIGO?

Tentar culpar alguém ou alguma coisa é um problema, mas culpar a pessoa ou situação errada é ainda pior. A Bíblia diz que a nossa guerra é com o diabo, e não com as pessoas (ver Efésios 6:12). Desejamos nos vingar quando as pessoas nos ferem, mas se o diabo é realmente aquele que está por trás de toda a nossa dor, como podemos nos vingar dele?

A Bíblia diz que vencemos o mal com o bem (ver Romanos 12:21). Satanás é mau, e a forma de nos vingarmos dele é sermos agressivamente bons para com todos que encontramos, inclusive nossos inimigos. Não é natural orar pelos nossos inimigos ou abençoá-los. Esta não é a reação que o diabo espera. Quando ficamos realmente irados e amargos, vamos parar diretamente nas mãos dele. Abrimos uma porta para ele passar e permitimos que tenha acesso a muitas áreas da nossa vida através de uma atitude de falta de perdão. A nossa alegria é afetada negativamente, assim como a nossa saúde, a nossa paz, a nossa vida de oração, os nossos hábitos relativos ao sono, etc. Unidade e concordância geram poder, de modo que fica claro que a discórdia e a desunião geram ausência de poder.

MANTENHA-SE LONGE DOS CONFLITOS

Acredito que os conflitos são iniciados pelos espíritos demoníacos enviados por Satanás. O trabalho deles é impedir a alegria, a paz, o progresso e a prosperidade. Eles são enviados para destruir negócios, igrejas, ministérios, casamentos, e todas as demais instituições e relacionamentos do gênero.

Somos instruídos por Deus a nos mantermos longe dos conflitos (ver Filipenses 2:3). Isso é impossível, a não ser que estejamos dispostos a perdoar de forma livre e frequentemente. A capacidade de perdoar requer uma atitude de humildade. Precisamos entender que também precisamos do perdão – de Deus e dos outros – regularmente.

A discórdia vem apenas por meio de uma atitude de orgulho. Ela não pode vir por qualquer outro meio. Onde houver brigas e discussões, existe um espírito de arrogância que se vê como sendo melhor do que os outros (ver Tiago 3:14-16). A Bíblia diz em Romanos 2:1 que julgamos os outros pelas mesmas coisas que fazemos. Concedemos misericórdia a nós mesmos, mas não estamos dispostos a fazer o mesmo pelos outros. Deus nos pedirá contas por este tipo de atitude. Ele exige que perdoemos e deixemos a ira para trás.

Paulo disse à Igreja localizada em Filipos que ele ficaria feliz se eles vivessem em harmonia:

> Completai a minha alegria, de modo que penseis a mesma coisa, tenhais o mesmo amor, sejais unidos de alma, tendo o mesmo sentimento. (Filipenses 2:2)

Paulo estava ciente do plano maravilhoso de Deus para os Seus filhos. Ele queria que todos recebessem o melhor que Deus tinha para eles, e sabia que isso seria impossível se eles não vivessem em harmonia. As Escrituras nos ensinam repetidamente a vivermos em paz. Na Bíblia, o próprio Jesus é chamado de "Príncipe da Paz" (Isaías 9:6).

Deus instruiu claramente Dave e eu a mantermos os conflitos fora da nossa vida e ministério se quiséssemos ter sucesso no que Ele nos chamou para fazer. Para fazer isto, precisamos ser generosos em perdoar. Devemos nos recusar a permitir que a amargura crie raízes em nossos corações (ver Hebreus 12:15). Não podemos nos permitir sentir ofendidos ou permanecer irados. Isto significa que não podemos seguir os nossos sentimentos; precisamos deixar os sentimentos de lado e fazer o que Deus nos pede para fazer.

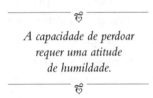

A capacidade de perdoar requer uma atitude de humildade.

Às vezes Deus nos pede para simplesmente esquecer alguma coisa e nem sequer mencioná-la; outras vezes, Ele exige que confrontemos e falemos abertamente sobre certas situações. A comunicação geralmente esclarece a confusão e traz o equilíbrio às situações que geram conflito. Quando as pessoas não gostam de confrontar, em geral é porque não querem que ninguém fique contrariado com elas ou pense mal delas. Se uma pessoa tem um vício em aprovação, ela normalmente não confrontará os problemas diretamente. Esta ausência de confronto abre a porta para mais desentendimentos e conflitos.

Também há momentos em que apenas precisamos ser pacientes e orar a respeito de uma situação. Discernir como lidar com cada situação é a verdadeira chave. Um provérbio chinês diz: "Se você for paciente em um momento de ira, evitará dias de tristeza". A pessoa que pode deixá-lo irado tem poder sobre você. Cada vez que você se permite ficar irado, envenena o seu próprio sistema. A Bíblia afirma claramente que a ira do homem não promove a justiça que Deus deseja (ver Tiago 1:20).

Resista à tentação de permitir que a ira crie raízes no seu coração.

Esforce-se para permanecer longe dos conflitos. Resista à tentação de permitir que a ira crie raízes no seu coração. Descobri que quanto mais rápido eu perdôo, menos provável é que eu tenha um problema real. A Bíblia nos ensina a resistir ao diabo quando ele iniciar o ataque (ver 1 Pedro 5:8-9). Não espere demais para fazer o que você sabe que Deus quer que você faça. Quanto mais você esperar, mais difícil será obedecer.

Quando o jovem Davi olhou para o gigante Golias, ele correu depressa para a linha de batalha (ver 1 Samuel 17:48). Creio que Davi sabia que se ficasse pensando em Golias por muito tempo, poderia acabar fugindo. Ele entrou em ação para obedecer a Deus imediatamente, e precisamos fazer o mesmo, sempre. Quando Deus nos induz a tomar alguma atitude, a Sua graça está presente para nos capacitar. Quando fazemos as coisas no nosso próprio tempo, geralmente temos de fazê-las na nossa própria força.

QUATRO PASSOS PARA A VITÓRIA

Você pode decidir perdoar e, no entanto, descobrir que os seus sentimentos para com a pessoa que o feriu ainda estão longe de ser sentimentos de perdão. O perdão é uma escolha que você faz, e você precisa trabalhar ardentemente com este objetivo.

Mas entenda que isso pode levar tempo. E não há problema nisso. Se fizermos o que podemos fazer, Deus fará o que não podemos fazer. Não podemos fazer com que os sentimentos errados desapareçam, assim como não podemos fazer com que os sentimentos corretos apareçam, mas Deus pode fazer isso, e Ele o fará. Se simplesmente fizermos o que as Escrituras nos ensinam, seremos capazes de progredir no processo do perdão. A primeira coisa que precisamos fazer é perdoar aqueles que nos feriram. A segunda coisa é orar por eles como Deus nos disse para fazer. Outra coisa que Deus nos diz para fazer é abençoar nossos inimigos, então esta é a terceira coisa. Abençoar alguém significa falar bem dele e desejar coisas boas para ele. Recuse-se a falar mal daqueles que o feriram. Não fique repetindo o que os seus inimigos fizeram para ferir você. Isso só mantém a dor viva em seu interior.

Acredito também que podemos e devemos abençoar nossos inimigos de formas práticas quando apropriado. Certa vez, Deus me dirigiu a enviar vale-brindes a alguém que havia falado mal a meu respeito. Quando fiz isso, senti uma liberação daquela ferida, e a alegria inundou a minha alma. Não enviei aquele presente para aquela pessoa porque achava que ela merecia recebê-lo. Fiz aquilo porque Deus abençoa aqueles que não merecem, e eu quis ser como Ele.

A quarta coisa que precisamos fazer é esperar: "E não nos cansemos de fazer o bem, porque a seu tempo ceifaremos, se não desfalecermos." (Gálatas 6:9). Não desista. Continue fazendo o que é certo, e espere em Deus e ele transformará os seus sentimentos.

Apliquei estes quatro princípios em minha vida e pude ver a vitória sobre os sentimentos negativos, todas as vezes.

APRENDENDO UMA NOVA REAÇÃO

Não são realmente os nossos problemas que nos derrotam, mas sim a nossa reação a eles, cheia de ira e de sentimentos de vingança. Reagir à ofensa com perdão é um novo caminho. Como a maioria das coisas novas, a princípio não nos sentimos confortáveis com isso, e parece que algo não está certo. É por isso que precisamos optar por deixar de lado a dor da ira. Aprender a agir sobre a Palavra de Deus em vez de reagir aos velhos sentimentos é um novo caminho.

Precisamos optar por deixar a dor da ira de lado.

O Cristianismo um dia foi chamado de "o Caminho" (ver Atos 9:2). Ele é um novo caminho de vida que inclui uma nova reação aos mesmos velhos problemas com os quais lidamos antes. Assim como alguns sapatos novos, os novos caminhos não são confortáveis no início, mas isso não significa que eles não são bons ou úteis. A velha maneira de reagir à ofensa com ira e falta de perdão não produziu bons frutos em sua vida, então, tente um jeito novo. Não desperdice a sua vida fazendo algo que não coopera para o seu bem.

Agora, quero dar uma olhada em uma das principais características do vício em aprovação que precisamos vencer: a atitude de querer "agradar a todo mundo".

CAPÍTULO

Superando a Necessidade de Agradar a Todos

Devemos ser pessoas que agradam a Deus, e não pessoas que agradam a si mesmas ou que agradam aos outros. Se formos viciados em aprovação, provavelmente também seremos pessoas que querem agradar a todo mundo. Geralmente descobrimos por experiência própria que se não agradarmos às pessoas, elas não nos dão a sua aprovação; portanto, se tivermos uma necessidade de aprovação desequilibrada, não teremos outra escolha senão sermos pessoas que agradam a todo mundo.

Desejar ser agradável e aceito é uma característica natural. Poderíamos até dizer que é algo divino. Deus quer que sejamos bons para as pessoas e que nos esforcemos para ajudá-las. As escrituras nos ensinam a criarmos a prática de agradar ao nosso próximo:

> Portanto, cada um de nós agrade ao próximo no que é bom para edificação [para fortalecê-lo e edificá-lo espiritualmente]. Porque, também Cristo não se agradou a si mesmo [não deu atenção aos Seus próprios interesses]. (Romanos 15:2-3, AMP)

O apóstolo Paulo disse em Gálatas que não buscava a popularidade junto aos homens, mas em 1 Coríntios ele declarou que tentava agradar às pessoas e acomodar-se às opiniões e desejos delas para que pudessem ser salvas:

> Porventura, procuro eu agora o favor dos homens ou o de Deus? Ou procuro agradar a homens? Se agradasse ainda a homens, não seria servo de Cristo. (Gálatas 1:10)

> Assim como também eu procuro, em tudo, ser agradável [para me acomodar às opiniões, desejos e interesses dos outros, adaptando-me] a todos, não buscando o meu próprio interesse, mas o de muitos, para que sejam salvos. (1 Coríntios 10:33, AMP)

Quando consideramos estes dois versículos das Escrituras, eles quase parecem se contradizer, mas isto não acontece se entendermos o espírito que está por trás deles.

Paulo queria agradar às pessoas. Ele queria manter um bom relacionamento com elas, especialmente com a finalidade de conduzi-las a aceitar Jesus como seu Salvador. Ele também queria agradar a Deus e cumprir o chamado de sua vida. Paulo sabia como manter o equilíbrio nesta área. Ele tentava agradar às pessoas, desde que agradar a elas não fizesse com que ele desagradasse ao Senhor. A Bíblia diz em Atos 5:29, que "Antes importa obedecer a Deus do que aos homens".

Agradar às pessoas é bom, mas não é bom se tornar alguém que agrada a todo mundo.

Agradar às pessoas é bom, mas não é bom se tornar alguém que agrada a todo mundo. Eu definiria essas pessoas como aqueles que tentam agradar às pessoas mesmo se tiverem de comprometer a sua consciência para fazer isso. Pessoas que agradam a todo mundo são aquelas que necessitam de aprovação tão desesperadamente que se permitem ser controladas, manipuladas e usadas pelos outros. Elas não são guiadas pelo Espírito Santo, como as Escrituras ensinam que devemos ser (ver Romanos 8:14).

Pessoas que agradam a todo mundo são pessoas cheias de medo. Elas temem a rejeição, o julgamento, o que as pessoas pensam e dizem, e especialmente a ira ou a reprovação.

EXAMINE AS SUAS MOTIVAÇÕES

A nossa razão ou motivo para fazermos as coisas é muito importante. Deus quer que tenhamos corações puros. Ele quer que façamos as coisas porque acreditamos que Ele está nos dirigindo a fazê-las, porque são a coisa certa a ser feita. Deus quer que sejamos movidos pelo amor. Devemos fazer as coisas por amor a Deus e aos homens. Se formos movidos pelo medo, isto não agrada a Deus.

Devemos reservar algum tempo regularmente para perguntarmos a nós mesmos por que estamos fazendo as coisas. Não é o que fazemos que impressiona Deus; Ele está preocupado com o "porquê" que se esconde por trás daquilo que fazemos.

Deus nos instrui na Sua Palavra a não fazermos boas obras para sermos vistos pelos homens. Não devemos fazer coisas para sermos reconhecidos e honrados. Quando oramos, não devemos fazer isso para sermos vistos pelos homens ou para tentarmos impressionar Deus empilhando expressões e repetindo-as sem parar. Deus não se impressiona com a extensão ou a eloquência das nossas orações. Ele está buscando a sinceridade e o fervor. Qualquer obra nossa que seja impura será queimada no Dia do Juízo. Perderemos a nossa recompensa por qualquer obra que seja feita com motivos impuros (ver Mateus 6:1-7 e 1 Coríntios 3:13-15).

Se fizermos as coisas para as pessoas, e os nossos motivos forem impuros, estaremos fora da vontade de Deus. Nem toda obra que parece ser boa é boa. Uma obra é boa somente se é feita dentro da vontade de Deus. Duas pessoas podem fazer a mesma "boa obra", e, no entanto, Deus pode não considerá-la boa para ambos. Uma das duas pode estar dentro da vontade de Deus, e a outra pode estar fora da vontade de Deus, dependendo dos motivos delas para agir.

Esforço-me para fazer as coisas com a motivação correta. Se alguém me pede para exercer uma função, e eu realmente não sinto a direção de Deus para ir, ou se sei que minha agenda não tem condições de acomodar aquilo sem gerar estresse, nesse caso não vou! Quando as pessoas querem ouvir 'sim', e você diz 'não', elas nunca gostam disso. Mas os que são realmente seus amigos lhe darão liberdade para tomar suas próprias decisões. Eles respeitarão as decisões que você tomar; eles não o pressionarão nem tentarão fazer com que você se sinta culpado por não agradar-lhes. Os seus verdadeiros amigos não são aqueles que estão meramente usando você em benefício próprio, nem aqueles que sempre ficam zangados quando você não faz o que eles querem que você faça.

É nossa responsabilidade resistir às pessoas que tentam nos controlar. Se não o fizermos, seremos tão culpados quanto elas.

Se as pessoas tentam nos controlar, elas estão agindo contra a vontade de Deus, mas se não as confrontarmos, também estaremos agindo contra a vontade de Deus.

Não devemos culpar os outros por sermos medrosos e tímidos. É uma ofensa a Deus temermos as pessoas mais do que tememos a Ele. Não devemos temer a Deus de uma forma errada, mas devemos ter um temor reverente por Ele, sabendo que quando Ele diz alguma coisa, Ele fala sério. Uma vez que Deus nos disse na Sua Palavra que não devemos ser pessoas que vivem para agradar aos homens, devemos levar esta ordem a sério e não permitir nenhuma atitude desequilibrada de buscar agradar a homens em nossas vidas. Viva para agradar a Deus, e você jamais será um viciado em aprovação.

> *É nossa responsabilidade resistir às pessoas que tentam nos controlar.*

O que você pensa a respeito de si mesmo é mais importante do que o que os outros pensam a seu respeito. Você não pode se sentir bem consigo mesmo se sabe que o que faz não tem a aprovação de Deus. Não é bom você dizer 'sim' desrespeitando a si mesmo porque não consegue dizer 'não'.

De acordo com Romanos 8:14, todos os que são guiados pelo Espírito de Deus são filhos de Deus. Os cristãos maduros são guiados pelo Espírito de Deus, e não pelas outras pessoas. Eles aprenderam a confiar no seu próprio coração. Eles seguem a paz, não as pessoas (ver Hebreus 12:14).

VÁ COM DEUS

A Bíblia nos ensina em João 12:42-43 que muitos dos líderes dos judeus creram em Jesus mas não o confessavam por medo de que se o fizessem, fossem expulsos da sinagoga. "Eles preferiram a aprovação [e a glória que vem] dos homens do que a aprovação [e a glória que vem de] de Deus" (v.43, AMP).

Neste exemplo, vemos que algumas pessoas foram impedidas de ter um relacionamento com Jesus porque eram viciadas em aprovação. Embora desejassem um relacionamento com o Senhor, elas amaram mais a aprovação dos homens. Isto é triste, mas acontece o tempo todo.

Conheço uma mulher que tinha profundos problemas emocionais. Ela frequentava um grupo de estudo bíblico onde foi cheia do Espírito Santo e ficou inundada de alegria. Deus a havia tocado, e ela sabia disso. Quando contou a seus irmãos e irmãs, eles disseram que ela estava louca. Disseram que precisava ter cuidado com "experiências emocionais", que aquela experiência poderia ter sido do diabo e não de Deus. Eles a assustaram, e pelo fato dela ter medo do que as pessoas poderiam pensar a seu respeito, não prosseguiu com o seu recém adquirido relacionamento com o Senhor. A mulher era uma cristã e frequentava a igreja, então simplesmente se manteve em silêncio e continuou seguindo as orientações específicas da sua denominação religiosa em particular, que não apoiava essas "experiências" com Deus. Ela também voltou a ser deprimida e neurótica. Deus tentou ajudá-la, mas ela amou a aprovação das pessoas mais do que a aprovação dele.

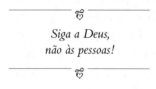

Siga a Deus, não às pessoas!

Não estou defendendo a idéia de que devemos buscar experiências espirituais, mas se Deus nos visita e temos uma experiência com Ele, isto não deve ser negado. Imagino que o apóstolo Paulo tenha tido uma tremenda experiência na estrada de Damasco quando Jesus falou com ele, e o Seu poder jogou Paulo ao chão (ver Atos 9:1-20). Descobri que as pessoas tendem a rejeitar qualquer coisa que elas não tenham experimentado pessoalmente. A Bíblia nos ensina que haverá pessoas que sustentarão uma forma de religião, mas que serão estranhas ao poder da mesma (ver 2 Timóteo 3:5). Descobri que as doutrinas do homem podem roubar o poder de Deus.

Siga a Deus, não às pessoas! As pessoas mencionadas em João 12 sabiam que Jesus era real. Elas acreditavam nele, mas o amor à aprovação não permitiria que tivessem um verdadeiro relacionamento com Ele. Pergunto-me o que aconteceu com suas vidas. O que elas perderam por dizerem sim às pessoas e não a Deus? Pergunto-me como muitas delas nunca foram mencionadas na Bíblia novamente. Pergunto-me se caíram no esquecimento e nunca cumpriram o seu destino porque amaram a aprovação dos homens mais do que a aprovação de Deus. Quantas delas desperdiçaram suas vidas desrespeitando a si mesmas por serem pessoas que querem agradar a todo mundo?

Nem todos vão gostar de nós. Recentemente, li em algum lugar que as estatísticas apontam que dois por cento da população não irá gostar de nós, e não há nada que possamos fazer a respeito senão aceitar e seguir em frente. Se vivermos a vida nos preocupando com o que as outras pessoas pensam, jamais correremos riscos ou nos aventuraremos por novas esferas. Desistiremos dos nossos sonhos.

Satanás é um ladrão de sonhos, e ele trabalha através de pessoas que são egoístas o suficiente para roubar os nossos sonhos a fim de poderem realizar o delas. As pessoas ao seu redor podem não entender ou concordar com a forma como você quer viver sua vida. Se você se importar demais com isso, um dia acordará e perceberá que nunca realmente viveu, apenas foi manipulado e usado por pessoas que realmente não se importavam com você afinal.

Todos têm direito a ter sua opinião, e a informação e o retorno que recebemos dos outros pode ser valioso. Não devemos rejeitar automaticamente o que os outros pensam, mas também não devemos permitir que isso nos controle. Devemos lembrar que aquilo que as pessoas dizem é apenas a opinião delas, e não necessariamente um fato. O que elas pensam pode estar certo para elas e errado para nós.

Você é um indivíduo, com direitos individuais. Não permita que ninguém roube de você o que Jesus morreu para lhe dar – que é a liberdade para seguir a liderança do Espírito Santo para você como indivíduo.

OBRIGAÇÃO OU DESEJO

Na vida dos que buscam agradar as pessoas, a força motriz é a obrigação, não o desejo. Eles fazem muitas coisas por um sentimento de obrigação. Eles têm dificuldades em dizer não quando lhe pedem para fazer alguma coisa. Se fizermos algo bom, mas o fizermos com ressentimento, nos sentindo usados e pressionados, não teremos alegria nem recompensa.

Lembre-se, a não ser que façamos as coisas pelos motivos corretos, perderemos nossa recompensa. Temos obrigações bíblicas. Por exemplo, as Escrituras nos dizem que é nossa obrigação cuidar da nossa família (ver 1 Timóteo 5:8). Se tivermos pais ou avós idosos, é nossa obrigação dar provisão a eles. É uma obrigação que devemos exercer, quer tenhamos vontade ou não. Você pode ter pais idosos e dependentes que nunca realmente cuidaram de você adequadamente; eles podem até ter abusado de você, mas é realmente sua obrigação cuidar deles agora. Se você não consegue fazer isso por eles, faça-o por Deus, e faça-o com uma boa atitude. É sua obrigação.

Precisamos seguir as instruções bíblicas, mas por outro lado não devemos permitir que os "deveríamos" da vida nos controlem. Há uma grande diferença entre fazer a nossa obrigação diante de Deus e ser moralmente obrigado a fazer alguma coisa para agradar as pessoas.

Por exemplo, não entre em dívidas todo Natal somente porque você acha que deve comprar presentes para os parentes de quem você nem sequer gosta. Você está comprando presentes para as pessoas porque tem medo do que elas possam pensar se você não o fizer? Ou você os está comprando por causa da sua necessidade de que elas o apreciem? Você pode até comprar presentes para as pessoas para que elas lhe dêem outro em troca. Se isso acontece, os seus motivos estão errados. Não é da vontade de Deus que você entre em dívidas para comprar presentes. Seja corajoso o suficiente para dizer a verdade.

VOCÊ TEM NECESSIDADES LEGÍTIMAS

Pessoas que vivem para agradar aos outros deixam rapidamente e regularmente de lado as suas próprias necessidades legítimas.

Negar essas necessidades finalmente gera uma situação que tende a explodir. Tentar constantemente agradar aos outros é algo que vai minando a nossa energia, e este é o motivo pelo qual as pessoas que vivem para agradar aos outros estão sempre ansiosas, preocupadas, infelizes e cansadas na maior parte do tempo. Elas se ressentem pelo fato de que as outras pessoas não fazem muito por elas, mas geralmente negam o fato de que possuem necessidades legítimas.

As pessoas que vivem para agradar aos outros podem achar que se pedirem ajuda, poderão fazer com que os outros se sintam obrigados a atendê-las. Embora façam a maioria das coisas por um sentimento de obrigação, não querem que os outros se sintam assim para com elas. Elas acreditam que as pessoas não desejam fazer nada por elas de qualquer maneira. A maioria das pessoas que vivem para agradar aos outros se sente assim por terem uma autoimagem negativa. Elas não se valorizam, e assim acham que ninguém mais as valoriza também.

É provável que a maioria das pessoas que vivem para agradar aos outros tenha sido criada em lares onde seus sentimentos e necessidades não foram valorizados, respeitados, ou considerados importantes. Como crianças, esperava-se que elas atendessem ou cuidassem das necessidades de outros. O foco da maioria das pessoas que vivem para agradar aos outros é primeiramente direcionado aos outros e não para si mesmas. Às vezes elas sequer sabem o que sentem ou pensam ou até mesmo o que querem para si mesmas. Elas se tornaram tão boas em negar as suas próprias necessidades, que nem sequer perguntam a si mesmas se têm alguma.

> *Pessoas que vivem para agradar aos outros deixam rapidamente e regularmente de lado as suas próprias necessidades legítimas.*

Alguém a quem chamarei Patty foi criada em um lar disfuncional. O pai de Patty era um alcoólatra que praticava o abuso verbal. Como resultado, ela aprendeu a desconsiderar completamente as suas necessidades e a passar o tempo cuidando dos outros. Ela desenvolveu um complexo de mártir. Fazia as coisas para as pessoas, mas se ressentia por fazê-lo. Patty sentia que as pessoas tiravam vantagem dela, mas não aceitava nada para si mesma, mesmo quando algo lhe era oferecido. Ela não sentia que merecia nada, então não queria receber nada.

Patty vivia sob um tremendo estresse, e colocava a maior parte desse estresse sobre si mesma, por causa da forma como havia sido criada. Ela foi diagnosticada com uma artrite grave, que lhe causava uma tremenda dor. Sua dor emocional e física juntas eram maiores do que podia suportar, então passou a ser muito depressiva.

Patty começou a frequentar uma sessão de aconselhamento, e seu conselheiro perguntou-lhe o que ela queria da vida. Ela não sabia dizer porque nunca havia sequer pensado no que *ela* queria. Precisou fazer uma forte introspecção e aprendeu que ter necessidades e desejos não era errado. Ela havia estado tão acostumada a não ter nada do que queria na vida que simplesmente não

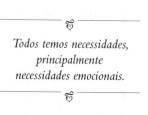

Todos temos necessidades, principalmente necessidades emocionais.

se importava em querer absolutamente nada. Tinha medo de desejar qualquer coisa porque achava que não tinha o direito de fazê-lo, sentindo-se inútil e desvalorizada.

Foi muito revigorante ver Patty começar a aprender que era aceitável ter necessidades legítimas e esperar que as pessoas as atendessem. Ela começou a ter esperança e sonhos para a sua vida, e isto lhe deu expectativas. Agora, ela está caminhando em direção à libertação do vício de agradar as pessoas.

Todos nós temos necessidades, principalmente necessidades emocionais. Negá-las acaba por nos levar a situações onde ficamos prestes a explodir. De que precisamos emocionalmente? Precisamos de amor, encorajamento e companheirismo – alguém com quem nos relacionar e a quem fazer confidências. Precisamos de aceitação, aprovação e prazer.

DEUS QUER QUE VOCÊ GOSTE DE SI MESMO

Quando eu estava em idade de crescimento, não gostava de mim mesma. Nunca me permitiram realmente agir como criança. Lembro-me de me meter em apuros e de ser corrigida por brincar. A nossa casa não era um lugar agradável. Era um lugar cheio de medo.

Como uma cristã adulta, começo a entender que me sentia culpada se tentasse me divertir. Eu me sentia segura se estivesse trabalhando, mas diversão era algo que negava a mim mesma. Não sentia que isto fosse uma necessidade legítima para mim, por isso eu me ressentia por causa das outras pessoas que não estavam trabalhando tanto e por tanto tempo quanto eu. Meu marido realmente apreciava sua vida, e aquilo me deixava zangada. Achava que ele poderia realizar muitas coisas mais na vida se apenas fosse uma pessoa mais séria.

Hoje, entendo que não estava zangada porque Dave apreciava sua vida; estava zangada porque *eu* não apreciava a minha. Mas eu era a única pessoa que podia fazer alguma coisa a respeito. Era tolice da minha parte ficar ressentida com Dave e com outras pessoas, pois a satisfação que eles tinham na vida também estava disponível para mim.

Eu não gostava de mim mesma. Lá no fundo, acreditava que não era boa, e me punia por ser má recusando-me a desfrutar de qualquer coisa. Afinal, pessoas más não merecem desfrutar a vida!

O Espírito Santo trabalhou comigo por muito tempo até que eu finalmente entendesse que Deus queria que eu desfrutasse a minha vida. Jesus realmente disse: "Eu vim para que vocês tenham vida e a desfrutem" (ver João 10:10, AMP). Precisamos de satisfação. Sem ela, a vida é desequilibrada, e uma porta se abre para Satanás nos devorar (ver 1 Pedro 5:8). A alegria do Senhor é a nossa força (ver Neemias 8:10). Há tempo de trabalhar e tempo de brincar, tempo de chorar e tempo de rir (ver Eclesiastes 3:1-8).

Aprenda a receber: de Deus, das pessoas que querem abençoá-lo, e de si mesmo.

Certifique-se de que você não está negando as suas necessidades legítimas. É bom ajudar os outros; como cristãos, este é o nosso chamado. Mas não é errado fazer coisas para nós mesmos. Certifique-se de tirar tempo para si mesmo; tire um tempo para fazer as coisas de que você gosta.

Aprenda a receber: de Deus, das pessoas que querem abençoá-lo, e de si mesmo. As únicas pessoas de quem você não deve receber são do diabo e das pessoas que são usadas por ele. Se alguém lhe fizer um elogio, aceite-o graciosamente. Se alguém o menosprezar, rejeite-o. Se alguém lhe demonstrar amor e bondade, receba-o. Se alguém o rejeitar, faça o que Jesus disse aos Seus discípulos para fazerem: sacuda a poeira e vá em frente!

Esteja decidido a apreciar a sua vida. Você só passa por ela uma vez, então, não deixe de apreciar o passeio.

"SINTO-ME MAL QUANDO NÃO AGRADO ÀS PESSOAS"

Você se sente mal quando não agrada às pessoas? Há muito anos, comecei a perceber que o motivo pelo qual eu tentava tanto agradar às pessoas era o meu benefício, não o benefício delas. Se eu conseguisse agradá-las, então *eu* me sentia bem. Não creio que eu realmente me importasse tanto assim com o que elas sentiam, era *comigo* que eu estava preocupada. Já lhe ocorreu que o fato de agradar às pessoas pode muito bem ser uma manifestação de egoísmo e não de sacrifício?

Pessoas que vivem para agradar aos outros se sentem péssimas quando as suas decisões não agradam aos outros. Elas assumem a responsabilidade pelas reações emocionais das outras pessoas. Em minha antiga vida, se eu achasse que alguém estava zangado, infeliz, ou decepcionado, aquilo me deixava desconfortável. Eu não conseguia me sentir confortável novamente até achar que tinha feito todo o possível para fazer com que aquela pessoa ficasse feliz de novo.

Eu não percebia que enquanto estivesse seguindo a vontade de Deus para a minha vida, as reações das outras pessoas não eram responsabilidade minha. Pode não ser sempre possível fazer o que as outras pessoas querem, mas uma pessoa espiritualmente madura aprende a lidar com a decepção e mantém uma boa atitude. Se você está fazendo o que acredita que Deus lhe disse para fazer, e os outros não estão satisfeitos com você, não é culpa sua, mas deles.

Quando estava em idade de crescimento, meu pai vivia zangado a maior parte do tempo. E eu passava a maior parte do meu tempo fazendo o papel de apaziguadora em casa. Tentava constantemente mantê-lo feliz, pois tinha medo da sua raiva.

Quando me tornei adulta, continuei com esta prática, com a diferença que eu a adotava com relação a todos. A qualquer momento em que estava com alguém que me parecia infeliz, sempre sentia que provavelmente era culpa minha; e mesmo se não fosse minha culpa, eu achava que tinha de consertar aquilo. Fazia tudo que achava que poderia agradar as pessoas para que elas ficassem felizes, sem perceber que a felicidade delas era responsabilidade delas e não minha.

Se meu marido corrigisse nossos filhos e eles ficassem zangados, Dave dizia que aquilo era problema deles. Ele sabia que precisava corrigi-los, e a forma como eles reagiam era algo entre eles e Deus. Mas se eu os corrigisse e isso os deixasse zangados, eu tentava deixá-los felizes de novo logo após tê-los corrigido. Nesse processo, acabava negando qualquer correção que estivesse tentando impor. Eu os consolava antes que eles pudessem sentir os efeitos de estarem sendo corrigidos.

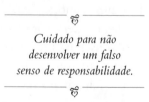

Cuidado para não desenvolver um falso senso de responsabilidade.

Quando eu corrigia um de nossos filhos ou mesmo mais tarde algum de nossos empregados, gastava um tempo excessivo explicando porque eu estava fazendo aquilo. Eu sabia que precisava trazer a correção, mas não queria que ninguém ficasse zangado; portanto, tentava convencer as pessoas a gostarem do fato de eu as estar corrigindo. O que poderia levar cinco minutos ou menos, em geral exigiria quarenta e cinco minutos ou mais por causa de todos os meus esforços para me certificar de que todos estavam felizes com a forma com a qual eu os corrigira.

Meu marido tentava me dizer o que eu estava fazendo, mas eu estava tão enganada nesta área que simplesmente não conseguir ver, até que o próprio Deus o revelou a mim.

Eu dizia a mim mesma que não queria que as pessoas se magoassem, ficassem confusas ou zangadas. Na verdade, eu não queria que ninguém ficasse zangado *comigo*. Eu não queria que ninguém pensasse mal de *mim*. Tudo se resumia a *mim*.

Se você não é capaz de dar às pessoas o que elas querem, e elas se tornam infelizes, não é culpa sua. Cuidado para não desenvolver um falso senso de responsabilidade. Você tem responsabilidades legítimas suficientes na vida, e não precisa assumir outras, ilegítimas.

Se você disser 'não' aos seus filhos acerca de alguma coisa por saber que o que eles querem não é bom para eles, não é responsabilidade sua fazer com que eles gostem de ouvir 'não'. Isto é algo que eles aprenderão à medida que amadurecerem; mas algumas pessoas nunca gostam de ouvir 'não', independentemente da idade que tenham. Todos nós precisamos ouvir 'não' de vez em quando; se isso não acontecer, nunca ficaremos felizes com nada a não ser em conseguirmos tudo do nosso jeito.

Eu me aventuraria a dizer que se você nuca diz 'não' aos seus filhos, não está demonstrando amor genuíno. Seja o pai, ou seja a mãe! Você pode ser amiguinho do seu filho, assim como eu queria, mas não pode ser sempre pai (ou mãe) e amigo ao mesmo tempo.

Certa vez, uma mulher que trabalhou para mim perguntou-me se podia falar comigo como amiga. Eu disse que sim. Ela começou a me dizer o quanto se sentia infeliz com o salário que ganhava, assim como com alguns outros problemas com relação ao emprego. Ela não conseguia entender porque aquela conversa estava me irritando. Afinal, ela estava apenas falando comigo como amiga! Finalmente, eu disse a ela que embora quisesse ser amiga dela, não podia ser sua patroa e sua amiga ao mesmo tempo naquela situação em particular. Ela talvez não quisesse me ouvir dizer 'não' a ela, mas eu sabia que tinha de fazer isso.

Se você é uma autoridade – e eu me aventuraria a dizer que todos têm autoridade sobre alguma coisa, mesmo que seja somente sobre o gato ou o cachorro – você precisa entender que raramente poderá tomar decisões que agradem a todos o tempo todo. Se você é viciado em aprovação, será uma figura de autoridade deficiente.

VIVENDO DENTRO DE LIMITES

As pessoas que vivem para agradar aos outros não vivem dentro de limites ou margens. Em seus esforços para agradar às pessoas, elas vão além dos limites razoáveis. Vamos enfrentar os fatos – as pessoas geralmente esperam que façamos coisas que não devemos ou não podemos.

É doloroso ser alguém que vive para agradar aos outros. Essas pessoas raramente colocam o foco em si mesmas da forma adequada. Quando tiram um instante para si mesmas, sentem-se egoístas, indulgentes e culpadas, e por esse motivo geralmente estão muito ocupadas, correndo para resolver as coisas, esforçando-se para manter todos felizes. Por ficarem tão ocupadas fazendo pelos outros, elas geralmente trabalham mais do que a maioria das pessoas. Por realizarem tanto e serem tão fáceis de se conviver, em geral elas são as primeiras a quem pedimos para fazer algo. Como resultado, elas ficam vulneráveis a que se tire vantagem delas, porque têm dificuldades em dizer 'não'. Em geral, elas nem consideram a hipótese de dizer 'não'. Elas simplesmente supõem que precisam fazer o que quer que lhe peçam para fazer, independente do quanto isto não seja razoável. Quando elas se aventuram a dizer 'não' a um pedido, geralmente mudam para um 'sim' caso as pessoas fiquem zangadas ou contrariadas.

As pessoas que vivem para agradar aos outros vão além dos limites da razão, se acharem que isto significa que todos ficarão felizes com elas. A maioria das pessoas tirará vantagem de nós se permitirmos. Esta é simplesmente a natureza humana. Não dependa dos outros para tratá-lo bem e com sinceridade. Você precisa assumir a responsabilidade de não permitir que tirem vantagem de você.

Geralmente nos tornamos amargos e ressentidos para com aqueles que se aproveitam de nós, sem perceber que somos tão culpados quanto eles, ou mais. É minha responsabilidade administrar minha vida sob a direção do Espírito Santo. É impossível para os outros continuarem a tirar vantagem de mim,

Os outros só podem continuar tirando vantagem de mim se eu permitir.

a não ser que eu o permita. Eles podem fazer isso uma ou duas vezes, até que eu perceba o que está acontecendo, mas quando eu tomo ciência do que está se passando, passo a ser responsável por interromper o processo.

Certa vez, tive um patrão que tirou vantagem de mim. Ele exigia que eu trabalhasse tantas horas que isso me impedia de passar o tempo necessário com a minha família. Ele nunca demonstrava qualquer apreço e independente do que eu fizesse, sempre esperava que eu fizesse mais. Se eu demonstrasse, ainda que modestamente, que poderia não ser capaz de cumprir com uma de suas exigências, a sua ira começava a subir e eu me encolhia e concordava em fazer o que ele havia pedido.

À medida que os anos foram se passando, eu me ressentia cada vez mais com aquela forma de controle. Sentia que ele deveria se importar o suficiente para entender que estava exigindo demais de mim. Queria que ele visse que a minha vida estava desequilibrada e que se importasse comigo o suficiente para dizer: "Tire um tempo de folga, você merece".

Certo dia, quando estava orando sobre aquela situação e me lamentando com Deus sobre o quanto ele era injusto, Ele disse: "O que seu patrão está fazendo é errado, mas o fato de você não confrontá-lo está igualmente errado". Isso foi difícil de ouvir. Como a maioria das pessoas, eu queria culpar outra pessoa pela minha falta de coragem. Se eu não fosse uma pessoa que vivia para agradar aos outros, e se não tivesse medo, teria me poupado cerca de cinco anos de tanto estresse que por fim me deixou doente. O meu problema não era o meu patrão; o meu problema era eu. Como disse antes, muitas pessoas tirarão vantagem de nós se permitirmos. Eu permiti que ele se aproveitasse de mim.

É importante entender que Deus lhe deu autoridade, antes de mais nada, sobre a sua própria vida. Se você não aceitar e exercer essa autoridade, poderá desperdiçar a sua vida culpando os outros por coisas a respeito das quais deveria estar fazendo alguma coisa. Você deve tomar as suas próprias decisões de acordo com o que acredita ser a vontade de Deus para você. No Dia do Juízo, Deus não pedirá a ninguém para prestar contas da sua vida; Ele pedirá isso a você somente (ver Mateus 12:36 e 1 Pedro 4:5)!

E se Jesus perguntar no Dia do Juízo por que você nunca encontrou tempo para cumprir o chamado dele para a sua vida? Você vai dizer a Ele que as pessoas se aproveitaram de você e que não podia fazer nada a respeito? Você vai dizer a Ele que estava ocupado demais agradando às pessoas que nunca conseguiu tempo para agradar a Ele? Se você der este tipo de desculpas, acha realmente que elas serão aceitas?

ESTABELEÇA LIMITES

Assim como uma pessoa coloca uma cerca ao redor da sua propriedade para manter os intrusos do lado de fora, você também precisa estabelecer limites e margens – linhas invisíveis que você desenha em sua vida para se proteger de ser usado e abusado. Se você tivesse uma cerca no seu quintal, e em uma tarde de sol olhasse para ele e visse seus vizinhos tomando banho de sol ali, enquanto seus filhos brincavam sem permissão, o que você faria? Certamente não diria simplesmente: "Ah, eu gostaria que esses vizinhos me deixassem em paz". Você provavelmente seria muito convincente em deixar claro que o seu quintal é zona proibida para eles praticarem essas atividades sem a sua autorização.

Você precisa ser igualmente convincente em informar às pessoas que conhece e espera que elas respeitem os limites e as margens que você construiu ao redor da sua vida pessoal.

Se você não quer que os amigos apareçam na sua casa sem telefonarem com antecedência para obter a sua aprovação, não permita que eles façam isso e depois fique ressentido. Imponha as suas diretrizes, ainda que você acabe perdendo os seus amigos.

Um amigo, a quem chamarei Henry, parecia que nunca tinha dinheiro quando ele e James saíam para comer ou para ir ao cinema. Na verdade Henry sempre dava um jeito de deixar a carteira em casa. James sempre acabava pagando a conta, e Henry prometia pagar-lhe de volta. James não se importou das primeiras vezes que isto aconteceu, mas ele logo percebeu que aquilo acontecia com frequência demais para ser um acaso. E ainda que fosse somente um mau hábito, Henry precisava quebrá-lo. James também logo percebeu que embora Henry prometesse pagar o dinheiro de volta, ele também sempre se esquecia disso.

> *Imponha as suas diretrizes, ainda que você acabe perdendo os seus amigos.*

O ressentimento tornou-se tão forte no coração de James, que ele percebeu que precisava confrontar Henry. De uma forma amorosa, James disse a Henry: "Realmente preciso que você pague as suas despesas e que pare de esquecer o seu dinheiro". Ele disse: "Não posso me dar ao luxo de pagar para nós dois, e além disso, sinto que você está tirando vantagem de mim". Henry ficou muito zangado, e disse a James que ele era egoísta e que deveria saber que ele lhe pagaria. James começou a se sentir culpado, achando que talvez fosse um mau amigo, então, pediu desculpas.

Henry pagou a sua conta nas próximas três ou quatro vezes que saíram, mas logo voltou ao mesmo velho padrão. Ele não apenas esquecia o seu dinheiro regularmente, como também parecia ter uma atitude ainda mais desrespeitosa para com James. Obviamente Henry estava errado por tratá-lo de forma desrespeitosa. Mas James era tão culpado quanto ele por deixar que ele fizesse isso.

Finalmente a amizade deles desmoronou completamente, e James teve de receber aconselhamento na igreja para superar a amargura que sentia para com Henry. Henry foi em frente, fazendo a mesma coisa com qualquer pessoa que permitisse. Ele nunca respeitava as pessoas que permitia que ele tirasse vantagem delas. As poucas pessoas que o confrontavam e faziam com que ele respeitasse os seus direitos eram aquelas a quem ele respeitava.

Lembre-se sempre que se você permitir que as pessoas tirem vantagem de você, será culpa sua e não delas.

DELEGUE OU DESMORONE

Embora seja difícil para quem vive para agradar às pessoas, é sábio estabelecer limites e margens positivos. Isto é sinal de força e não de fraqueza. Pedir ajuda também é bom. Deus colocou certas pessoas na vida de cada um de nós para nos ajudarem. Se não recebermos a ajuda delas, ficamos frustrados e sobrecarregados, e elas ficam frustradas por não estarem usando seus dons.

Lembre-se que Deus não chamou você para fazer tudo para todo mundo em todas as situações. Você não pode ser todas as coisas para todas as pessoas o tempo todo. Você tem necessidades legítimas. Não é errado precisar de ajuda e pedir. No entanto, é errado precisar de ajuda e ser orgulhoso demais para pedir.

Em Êxodo 18:12-27, vemos que Moisés era um homem com muitas responsabilidades. As pessoas procuravam por ele para tudo, e ele tentava atender a todas as necessidades delas. Seu sogro viu o que Moisés estava fazendo e lhe disse: "Que é que você está fazendo? Por que só você se assenta para julgar, e todo este povo o espera em pé, desde a manhã até o cair da tarde?" (v. 14). Moisés contou ao seu sogro como todo o povo ia a ele com suas questões. Eles queriam que ele se sentasse como juiz entre eles e seus vizinhos sempre que havia algum problema entre eles. O povo queria que Moisés atendesse às necessidades deles, e ele queria agradar-lhes.

Pode parecer que os nossos sacrifícios são bons. Podemos nos sentir orgulhosos de nós mesmos por causa das nossas "boas" obras, porém elas não são boas. O sogro de Moisés lhe disse que o que ele estava fazendo não era bom. Ele disse a Moisés que ficaria esgotado, assim como o povo. Como o povo poderia ficar esgotado por não fazer nada? Porque não fazer nada pode na verdade ser mais cansativo do que fazer alguma coisa. Se Deus o chamou e o equipou para fazer algo, e alguém está fazendo isso por você o tempo todo, você se sentirá frustrado. Se Deus chamou alguém para ajudá-lo e você não permite que ele o ajude, ele ficará com um sentimento de frustração também. Deus nos criou para sermos interdependentes uns dos outros. Precisamos uns dos outros!

O sogro de Moisés sugeriu que ele delegasse um pouco da sua autoridade a outros. Ele disse que Moisés deveria deixar que eles tomassem as decisões menos importantes, enquanto Moisés deveria tratar somente dos casos difíceis. Ele fez o que seu sogro sugeriu, e isto lhe permitiu suportar a tensão da sua tarefa. E os outros tiveram o benefício de um senso de realização pelas decisões que tomavam por conta própria.

Precisamos uns dos outros!

Muitas pessoas reclamam o tempo todo pelo que se espera que elas façam, ou terminam desabando emocionalmente e fisicamente porque não permitem que ninguém as ajude a fazer coisa alguma. Elas acham que ninguém está qualificado para o trabalho como elas. É fácil achar que você é mais importante do que realmente é. Aprenda a delegar. Deixe tantas pessoas quanto possível ajudarem você. Se fizer isso, você durará muito mais e apreciará muito mais a si mesmo.

"SINTO QUE DEVERIA SER CAPAZ DE FAZER MAIS"

Comparar-nos com outras pessoas geralmente faz com que coloquemos muita pressão desnecessária sobre nós mesmos. Se observarmos, em nossa comparação, que elas podem fazer mais do que nós, ou que a tolerância delas é maior que a nossa, geralmente sentimos que deveríamos ser capazes de fazer mais. Por nos sentirmos culpados, podemos ir além dos limites razoáveis e terminar doentes e infelizes.

Todos nós somos diferentes, e todos nós temos limites diferentes. Conheça a si mesmo, e não se sinta mal se não consegue fazer o que outra pessoa consegue. Até o nosso temperamento, dado por Deus, ajuda a determinar quais serão os nossos limites na vida em diversas áreas.

Conheço alguém- vou chamá-la de Pat – que era casada e tinha três filhos. Ela era mãe e dona de casa em tempo integral, mas se não tivesse ajuda para limpar a casa uma vez por semana ela se esforçava para fazer tudo e continuar tranquila.

Pat tinha uma amiga chamada Mary que também era casada e tinha cinco filhos. Mary trabalhava fora duas vezes por semana e fazia todo o trabalho de casa, inclusive cozinhando e lavando a roupa, sem nenhuma ajuda externa. Na verdade, parecia que Mary era mais tranquila e menos temperamental do que Pat, embora ela tivesse mais coisas para fazer.

Pat se sentia muito mal consigo mesma porque não conseguia fazer tudo sem ajuda. No seu pensamento, ela se comparava a Mary constantemente. Ela achava que deveria ser como ela.

O temperamento de Mary era calmo, do tipo despreocupado. A atitude dela era "se o trabalho não ficar pronto hoje, eu o terminarei amanhã". Pat, por outro lado, era muito melancólica, uma perfeccionista extremista que não ficava à vontade se tudo não estivesse em ordem.

Realmente não podemos controlar o temperamento com o qual nascemos; isto é escolha de Deus. Podemos trabalhar com o Espírito Santo para

Não pressione a si mesmo para agir exatamente como os outros.

chegarmos a um equilíbrio, mas basicamente somos o que somos. Serei sempre uma pessoa do tipo A, de temperamento forte, do tipo líder. Na verdade, na maior parte do tempo, sou do tipo A+. Dave sempre será mais calmo do que eu, mais isto não significa que preciso me esforçar para ser como ele. Posso aprender algumas coisas com o exemplo dele, mas ainda tenho de ser essencialmente a pessoa que Deus me criou para ser.

Pat se colocava debaixo de tanta pressão que se tornou uma pessoa de difícil convivência. Ela carregava um peso de culpa na maior parte do tempo, e isso começou a afetar o seu humor e a sua saúde. Finalmente, ela encontrou ajuda através de um livro que leu e a ajudou a entender que todos nós somos diferentes, e que isso é perfeitamente aceitável.

Algumas pessoas fazem as coisas mais rápido que outras, mas a pessoa mais lenta pode fazê-las com mais perfeição. Cada um de nós precisa fazer o que nos deixa confortáveis. Não era errado Pat precisar de uma empregada uma vez por semana, e Mary não precisar de uma. Estou certa de que em alguma outra área, Mary tinha necessidades que Pat não tinha.

Seja apenas você mesmo, e não pressione a si mesmo para agir exatamente como os outros.

Pat sentia que deveria ser capaz de fazer mais porque viu Mary fazer mais, mas o fato era que ela não podia fazer mais e manter a tranquilidade. Isto não era uma fraqueza sua; era apenas a maneira como ela havia sido formada por Deus. Ela não precisava ser capaz de fazer o que Mary fazia para aceitar a si mesma. Ela sentia que Mary a julgava, quando na verdade ela estava julgando a si mesma e Mary não havia pensado nada a respeito.

A preocupação com o que as pessoas podem pensar a nosso respeito geralmente exerce controle sobre nós. Preocupamo-nos excessivamente com o que as pessoas estão dizendo a nosso respeito. Supomos que as pessoas estão tendo pensamentos de crítica quando na verdade elas não estão sequer pensando em nós!

> Deus não deu e nunca dará a ninguém mais a tarefa de dirigir a sua vida.

Quando buscamos o favor e a aceitação dos nossos críticos, perdemos a confiança ou nos desviamos do caminho das escolhas saudáveis. Confronte os seus críticos ou você acabará sendo controlado. O apóstolo Paulo tinha muitos críticos, mas ele não permitiu que a opinião deles o controlasse; nem Jesus.

Faça o melhor que puder, seja o melhor "você" que puder, e não sinta que deveria ser capaz de fazer mais só porque outra pessoa faz. E lembre-se: uma forte confiança em Deus e na sua própria capacidade de ouvi-lo e de ser guiado pelo Espírito são o seu antídoto. Deus não deu e nunca dará a ninguém mais a tarefa de dirigir a sua vida.

A DESONESTIDADE É UM SINTOMA DOS QUE VIVEM PARA AGRADAR AOS OUTROS

> Seguiremos com amor a verdade em todo o tempo, falando com verdade, tratando com verdade, vivendo em verdade.
> (Efésios 4:15, ABV)

O comportamento dos que vivem para agradar aos outros pode ser bastante desonesto. A Bíblia diz que devemos ser verdadeiros em todas as coisas; devemos falar a verdade, amar a verdade, e andar em verdade. Mas os viciados em aprovação geralmente contam mentiras porque têm medo que as pessoas não aceitem a verdade. Eles dizem sim com os lábios enquanto o coração deles está gritando 'não'. Eles podem não querer fazer uma coisa, mas agem como se quisessem por medo de desagradar alguém. Se alguma vez eles dizem não, geralmente dão uma desculpa pela qual não podem fazer o que lhes é pedido. Eles não dirão a verdade, que pode ser simplesmente o fato de que não querem fazer o que lhes está sendo pedido. Eles podem sentir que aquilo não é a coisa certa a fazer.

Às vezes não sentimos paz com relação a uma determinada coisa, e não temos a menor ideia do por que. As Escrituras nos ensinam que devemos seguir a paz; este é um dos caminhos por onde Deus nos guia. Devemos ser capazes de dizer às pessoas: "Não sinto paz com relação a firmar este compromisso neste momento", e elas deveriam receber esta resposta com graça, mas isto raramente acontece.

Recentemente, estive conversando com um companheiro de ministério. Ele é um homem muito bem humorado e corajoso. Esse amigo me contou como outro ministro havia telefonado para ele fazendo-lhe um pedido para aparecer no seu programa de televisão. Meu amigo disse ao homem que não poderia fazer isso porque tinha um compromisso marcado anteriormente. O homem respondeu que o compromisso previamente marcado que ele tinha não poderia ser tão importante quanto participar do seu programa de televisão, e sugeriu que ele quebrasse o compromisso anterior, ao que meu amigo respondeu: "Não quero".

A sua resposta sincera interrompeu imediatamente a conversa. Se simplesmente fossemos tão corajosos a ponto de dizer a verdade, poderíamos poupar a nós mesmos muito tempo e muitos problemas.

Não queremos ser rudes, mas também não queremos ser mentirosos. A maioria dos que vivem para agradar aos outros não são sinceros quanto aos seus desejos, seus sentimentos e pensamentos. Eles dizem às pessoas o que elas querem ouvir, e não o que elas precisam ouvir. Um relacionamento saudável requer honestidade. Algumas pessoas podem não querer ouvir a verdade, mas isto não nos libera da responsabilidade de dizer a verdade.

UM EXEMPLO NA VIDA DO REI SAUL

Saul foi ungido para ser rei de Israel. Ele teve a oportunidade de desfrutar de um grande e glorioso futuro, mas tinha algumas fraquezas de caráter que vieram a ser a sua derrota (ver 1 Samuel 9-31).

Saul era uma pessoa que vivia para agradar aos outros. Ele amava tanto a aprovação das pessoas que desobedeceu às instruções de Deus para consegui-la. Deus instruiu Saul a esperar até que o profeta Samuel chegasse para oferecer o sacrifício da tarde. Quando Samuel não chegou no tempo que Saul e o povo esperavam que ele chegasse, o povo ficou inquieto e impaciente. Embora Saul soubesse em seu coração que estava sendo desobediente, ele foi em frente e ofereceu o sacrifício que estava proibido de ofe-

Costumamos "assassinar" o plano de Deus para as nossas vidas para conseguirmos ou mantermos a aprovação dos outros.

recer. Mais tarde, quando Samuel chegou, perguntou a Saul por que ele havia feito aquilo. A resposta de Saul foi: "Porque vi que o povo estava se dispersando" (1 Samuel 13:11). Como resposta, Samuel disse a Saul: "Você agiu como um tolo!... agora o seu reinado não permanecerá" (vv. 13-14). Saul era tão viciado em aprovação que perdeu o seu reino por causa disso.

Deus trouxe Davi para a vida de Saul para ministrar a ele. Saul reconhecia a unção e o favor de Deus sobre a vida de Davi, mas quando o povo demonstrou aprovar Davi, Saul sentiu ciúmes – tantos ciúmes, na verdade, que tentou matar Davi diversas vezes. A sua necessidade de aprovação era tão grande que ele estava disposto a impedir que alguém recebesse mais aprovação do que ele. Graças a Deus porque poucas pessoas permitem que a sua necessidade de aprovação vá tão longe.

Podemos não tentar assassinar alguém, mas costumamos "assassinar" o plano de Deus para as nossas vidas para conseguirmos ou mantermos a aprovação dos outros. Saul tentou fazer as duas coisas. Ele tentou assassinar Davi, mas em vez disso, "assassinou" o plano de Deus para ele e para o seu reinado. Como resultado, Saul terminou sendo morto depois de ter perdido a oportunidade de continuar sendo rei.

Há inúmeras estórias tão tristes como esta. Não permita que a sua estória seja uma delas. Não cometa o erro que Saul cometeu. Seja obediente a Deus. Faça o melhor que puder para ser tudo o que Ele quer que você seja, e faça tudo que Ele quer que você faça. Mesmo que as pessoas não estejam aclamando você, o céu está!

Neste capítulo, vimos as características das pessoas que vivem para agradar aos outros; agora vamos ver como podemos superar a dor da rejeição.

CAPÍTULO

11

Superando a Dor da Rejeição

Se alguém não os receber nem ouvir suas palavras, *sacudam a poeira dos pés* quando saírem daquela casa ou da cidade. (Mateus 10:14, ênfase da autora)

Jesus deu instruções aos Seus discípulos com relação à forma como deviam lidar com a rejeição. Ele lhes disse para "sacudirem a poeira". Ele estava dizendo basicamente: "Não se importem com isso. Não deixem que isso os impeça de fazer o que Eu os chamei para fazer".

Jesus foi desprezado e rejeitado (ver Isaías 53:3), e, no entanto, parecia que Ele nunca permitia que isso o afetasse. Tenho certeza de que Ele sentia dor, assim como você e eu sentimos quando sofremos rejeição, mas Ele não permitia que isso o impedisse de cumprir o Seu propósito.

Jesus disse aos Seus discípulos para não se preocuparem com a rejeição porque, na verdade, as pessoas que os rejeitavam estavam rejeitando a Ele:

> Aquele que lhes dá ouvidos, está me dando ouvidos; aquele que os rejeita, está me rejeitando; mas aquele que me rejeita, está rejeitando aquele que me enviou. (Lucas 10:16)

O Senhor ama Seus filhos, e Ele encara de forma pessoal quando alguém os rejeita ou os trata com menosprezo. Se você é pai ou mãe, sabe como você se sente quando alguém trata mal seus filhos. Se você é como eu, realmente sente a dor deles e fará qualquer coisa que seja possível para evitar isso.

Lembro-me de quando minha filha Laura mudou de escola quando estava na terceira série. Ela estava frequentando uma escola cristã e foi transferida para uma escola pública. Ela passou por muita rejeição por parte das crianças da sua nova escola. Um dia, passei de carro perto do playground na hora do recreio e a vi sentada em um banco, sozinha, enquanto todas as outras crianças estavam brincando. Ela parecia tão triste e solitária que partiu meu coração vê-la assim.

Ela chorava toda noite, pois não entendia por que ninguém gostava dela. Não havia motivos para que as crianças não gostassem dela. A rejeição foi algo que Satanás usou para fazer com que ela se sentisse mal consigo mesma como pessoa. Laura era uma criança cristã, e falava de Jesus livremente. O diabo não gostava daquilo, então ele a atacava.

A rejeição é uma das ferramentas favoritas que Satanás usa contra as pessoas. A dor da rejeição geralmente faz com que as pessoas ajam com medo em vez de agiram com ousadia. Logo Laura aprendeu que quando ela falava de Jesus, as outras crianças debochavam dela, e isso a afetou negativamente por muito tempo.

CAPÍTULO 11

UM FUNDAMENTO SÓLIDO

Se começamos a nossa vida com uma base de rejeição, isto equivale a termos uma rachadura nas fundações de nossa casa. A primeira casa que Dave e eu construímos tinha uma rachadura no porão, e aquilo causou problemas periódicos durante anos. Cada vez que havia tempestades ou chuvas fortes, o porão sofria infiltração, e qualquer coisa que estivesse no caminho do curso de água ficava molhada. Tentamos três ou quatro métodos diferentes até finalmente termos êxito no conserto total da rachadura.

As pessoas que passaram por rejeição em sua vida são parecidas com a nossa casa. Cada vez que ocorre uma tempestade na vida delas, tudo fica um caos, inclusive elas. Elas tentam vários métodos para encontrar segurança, mas nada funciona. Elas podem tentar agradar as pessoas para terem aceitação, mas frequentemente se tornam viciadas em aprovação. Vivem com a dor emocional da rejeição – ou com o medo de serem rejeitadas, que geralmente é pior do que a rejeição em si.

Um fundamento firme é a parte mais importante de uma construção. Se a fundação estiver fraca ou rachada, nada que for construído em cima dela estará seguro. Ela poderá desabar ou desmoronar a qualquer momento, principalmente se sofrer alguma pressão por qualquer coisa como uma tempestade ou terremoto.

A Bíblia encoraja as pessoas a construírem suas vidas sobre a rocha firme, e não sobre a areia. A pessoa que ouve a Palavra de Deus e a executa é como o homem que, ao construir sua casa, cavou profundamente e fincou a fundação sobre a rocha. Quando as águas da inundação subiram, a torrente rompeu contra aquela casa e não conseguiu abalá-la ou movê-la, porque ela havia sido construída com segurança, fundada sobre a rocha (ver Mateus 7:24-27).

Se tentarmos edificar nossas vidas sobre o que as pessoas dizem e pensam de nós – como elas nos tratam, como nos sentimos, ou sobre os nossos erros do passado – estamos construindo sobre a areia movediça. Antes de experimentar o poder curador de Jesus Cristo, minha vida era como uma casa construída sobre a areia movediça e não sobre a rocha firme. Minha fundação era fraca. Eu não era segura, não gostava de mim mesma, e estava cheia de culpa e vergonha por causa do abuso que havia sofrido. Eu tinha uma raiz de rejeição, e todo relacionamento que eu tentava construir, e toda decisão que eu tentava tomar, eram afetados por isso. Eu temia a dor da rejeição e precisava aprender que poderia sobreviver a ela se necessário.

Pela graça e misericórdia de Deus, troquei aquela velha fundação rachada por um fundamento firme, um fundamento baseado em Cristo e no Seu Amor. Agora, minhas raízes estão firmadas com segurança nele.

O apóstolo Paulo orou pela igreja para que eles fossem enraizados no amor de Deus:

> Para que Cristo habite (se estabeleça, more, faça o Seu lar permanente) no coração de vocês mediante a fé; e oro para que, estando arraigados e alicerçados em amor... (Efésios 3:17, AMP).

Pense no princípio de sua vida, porque ele representa as suas raízes. Você teve um bom começo na vida? Se não teve, graças a Deus porque você pode ser arrancado pela raiz e replantado em

Cristo. Talvez você não tenha tido um bom começo, mas você pode definitivamente ter um bom final!

A RAIZ DE REJEIÇÃO E OS SEUS RESULTADOS

O começo de qualquer relacionamento representa as suas raízes. Um casamento tem raízes, um começo ou ponto de partida. Dave e eu não tivemos um bom começo, por causa de todos os problemas emocionais que eu tinha naquela época. Os nossos primeiros anos foram muito difíceis. Depois que percebi que precisava de ajuda, foram necessários vários anos para reparar todos os danos causados nos primeiros anos de nosso casamento. As coisas melhoraram pouco a pouco, mas ambos tivemos de ser pacientes e nos recusar a desistir.

Dave e eu estávamos falando recentemente sobre o nosso ministério e sobre o fundamento sólido sobre o qual ele está construído. Desde o princípio, nos certificamos de fazer as coisas com excelência, mantivemos a integridade e também mantivemos os conflitos fora do nosso ministério. Trabalhamos pacientemente com nossos funcionários para edificar neles os mesmos princípios que havíamos adotado e aplicado às nossas próprias vidas e ministério. Atualmente, temos nosso escritório nos Estados Unidos, e escritórios na África do Sul, Austrália, Brasil, Canadá, Inglaterra, Índia, Rússia e Oriente Médio. Como podemos dar conta de tudo isto? Temos um fundamento sólido, um fundamento edificado em Deus, na Sua Palavra, e nos Seus princípios. Se não tivéssemos dedicado o tempo e o esforço necessários para edificar um fundamento bom e forte, não poderíamos manter uma obra tão monumental.

As fundações são extremamente importantes. Como estão as suas?

Você está enraizado na vergonha, ou na rejeição? As suas raízes foram estabelecidas no medo? É a vontade de Deus que você seja enraizado com segurança em amor e aceitação; se não está, você precisa de cura emocional.

> *É a vontade de Deus que você seja enraizado com segurança em amor e aceitação.*

A palavra *rejeitar* pode ser definida como recusar, jogar fora algo sem valor. Absolutamente nenhum de nós quer se sentir como se estivéssemos sendo jogados fora, como se não tivéssemos valor algum. Todos queremos ser notados e aceitos.

A palavra *raiz* pode ser definida como o ponto de partida, a primeira germinação da semente. As sementes são enterradas e germinam, e as raízes se desenvolvem e escavam o solo antes que os galhos e os frutos sejam vistos acima dele. A qualidade de todo fruto é afetada pelas raízes que lhe fornecem apoio e nutrição. Aprendi que frutos estragados representam raízes estragadas, e bons frutos representam boas raízes. Quando vemos frutos maus em nossa própria vida ou na vida de outros, deveríamos entender que eles vêm de uma raiz má.

Quando as pessoas exibem mau comportamento, elas raramente entendem por que se comportam assim. Se elas não podem entender isso, certamente também não podem modificar isso. Durante muitos anos de minha vida, quando eu me comportava mal, as pessoas me diziam: "Por que você age assim? Por que você reage assim?" As perguntas delas me deixavam frustrada, porque eu não tinha as respostas. Eu sabia que meu comportamento era esquisito, confuso, e instável, mas não sabia o que fazer a respeito. Na maior parte do tempo, eu simplesmente colocava a culpa em alguém ou dava desculpas. Reagia de forma defensiva a qualquer coisa que mesmo remotamente parecesse estar em desacordo comigo. Eu fazia isso porque já me sentia tão errada com relação a mim mesma que não podia encarar o fato de estar errada com relação a qualquer outra coisa.

Eu reagia com medo a muitas situações, algumas das quais não faziam sentido algum. Por exemplo, se Dave encostasse com o carro na entrada da garagem de alguma casa para manobrá-lo, eu ficava frenética, principalmente se ele tivesse de esperar que outros carros passassem atrás de nós antes de poder completar a volta. Eu dizia coisas do tipo: "Você não deveria manobrar na entrada da casa dos outros; os proprietários não vão gostar disto!" Ou eu poderia dizer: "Depressa, saia logo daqui!"

Dave dizia, perplexo: "O que há de errado com você? Estou apenas manobrando o carro. As pessoas usam as entradas de garagem umas das outras para manobrar o tempo todo".

Durante muitos anos, eu não entendia por que reagia daquele jeito, até que Deus me mostrou que eu estava reagindo àquela situação com base na forma que achava que meu pai se sentiria se alguém manobrasse o carro na entrada da sua garagem, isto é, zangado. Eu tinha medo que os proprietários saíssem pela porta da frente e gritassem conosco como meu pai teria feito. O medo que eu tinha de rejeição tinha raízes tão profundas em minha vida que ele fazia com que eu reagisse com medo a muitas situações que parecem muito comuns para uma pessoa emocionalmente saudável.

Havia outras situações semelhantes às quais eu reagia com base na minha experiência passada. Eu não tinha outro critério de referência a não ser o modo como havia sido criada. Eu tinha raízes podres, doentias, e, portanto, tinha frutos maus.

Você tem algum comportamento em sua vida que parece muito estranho? Se tem, você já se perguntou: "De onde veio isto?" ou "Por que ajo assim?" Espero que isto o ajude a perceber que o seu fruto é produto das suas raízes. Se você tem raízes ruins – raízes que foram semeadas na rejeição – você precisará ser arrancado pela raiz desse solo ruim e replantado no amor de Deus e na verdade da Sua Palavra. A boa notícia é: "Há esperança". Se você se sente preso na armadilha de um comportamento que não entende, não se desespere, O Espírito Santo irá guiá-lo a toda verdade. Ele o ajudará a parar de reagir a velhas situações e o ensinará a agir sobre a Palavra de Deus. Ele lhe dará um sistema de raízes inteiramente novo, um sistema que produzirá bons frutos para o Seu Reino.

> *A boa notícia é: "Há esperança".*

A Bíblia declara em João 3:18 que para aqueles que crêem em Jesus não há julgamento, não há condenação, e não há rejeição. Jesus nos dá livremente aquilo que nós nos esforçamos para ganhar das pessoas e parece que nunca conseguimos: liberdade de todo julgamento, condenação e rejeição!

Quando me tornei uma estudante da Palavra de Deus, comecei a realmente desejar a mudança do meu comportamento. Às vezes eu tinha êxito e conseguia cortar um tipo de fruto mau (comportamento), mas outro imediatamente brotava, o que me frustrava ainda mais. Sentia que independente do quanto eu me esforçasse para me livrar de uma coisa, outra tomava o seu lugar. Quando finalmente entendi que o meu fruto ruim estava vindo de uma raiz má, isto realmente me ajudou. Uma outra forma de dizer isto é que o meu comportamento externo inaceitável estava vindo de algo inaceitável dentro de mim.

Meus pensamentos estavam errados: sobre as pessoas, sobre mim mesma, sobre as circunstâncias, sobre o meu passado, sobre o meu futuro, etc. Eu era muito insegura, mas mascarava meus sentimentos com uma abordagem falsificada e ousada da vida que na verdade fazia com que eu transmitisse aos outros a imagem de uma pessoa dura e difícil. Naquela época, eu não entendia por que a maioria das pessoas parecia ficar ofendida comigo, mas agora entendo.

Você já esteve por perto de pessoas que exteriormente parecem "ter tudo sob controle", por assim dizer, mas você sabia, lá no fundo, que alguma coisa não estava certa com elas?

Lembro-me de um homem (vou chamá-lo de Joe) que era muito convincente. Ele podia vender mel para abelhas. Parecia ser muito confiante. Na verdade, ele era tão confiante que era acusado frequentemente de ser arrogante e orgulhoso. Ele podia chorar lágrimas de crocodilo nos momentos certos, parecendo ter uma tremenda compaixão pelas pessoas que sofrem. Ele tinha uma grande visão e ideias progressistas e tinha o dom de motivar as pessoas.

Joe envolveu-se no ministério com os jovens, e logo muitos adolescentes o admiravam e se tornaram dependentes dele para obterem aconselhamento e ensino. Tudo parecia estar certo com ele, mas eu *sentia* que alguma coisa estava errada. Os jovens eram quase que apegados demais a ele. Eles estavam quase idolatrando-o.

Do lado de fora, em público, tudo parecia estar bem, mas em casa, por trás de portas fechadas, seu casamento estava passando por problemas sérios. Ele, naturalmente, sempre colocava a culpa em sua esposa disfuncional. Ela tinha problemas profundos, dizia ele. Como se constatou mais tarde, ele se envolveu com uma das jovens do grupo, e foi descoberto um rastro de mentiras de um quilômetro de comprimento que haviam existido durante anos.

O pai daquele homem era alguém difícil de agradar, e assim Joe sempre se sentia rejeitado por ele. Seu pai o pressionava para ser algo que ele não sabia como ser. Portanto, ele tinha inseguranças com raízes profundas. Ele estava tentando funcionar na liderança com uma profunda raiz de rejeição em sua vida.

Superficialmente, ele parecia ser tudo menos inseguro, mas ele era totalmente inseguro. A sua segurança e confiança vinham da dependência das outras pessoas nele, como a juventude que ele supervisionava, e de ser capaz de ter êxito nos negócios. Assim como tantos de nós, ele estava extraindo todo o seu senso de valor de coisas externas e não de Deus.

Muitas pessoas hoje desenvolveram personalidades falsificadas nas quais elas funcionam. Elas fingem ser qualquer coisa que achem que as pessoas admirarão. É muito importante ter discernimento no que diz respeito a essas pessoas. Quando as coisas *parecem* estar certas, mas lá no fundo *sentimos* que estão totalmente erradas, recomendo não se envolver rápido demais. Dedique

Muitas pessoas hoje desenvolveram personalidades falsificadas.

tempo para ver como as pessoas agem em todo tipo de situação. Elas podem passar uma impressão positiva com o que dizem, mas veja se a vida delas é compatível com o seu discurso. As pessoas podem ter problemas que não são culpa delas, mas não podemos nos permitir sermos enganados por elas. Não podemos ajudá-las se simplesmente cairmos na mesma armadilha em que elas estão.

Depois que Joe caiu em pecado e isto veio a público, muitas pessoas disseram que haviam percebido há muito tempo que alguma coisa estava errada com relação a ele. Elas o haviam surpreendido mentindo, mas haviam deixado passar; acharam que ele poderia estar envolvido com a jovem em questão, mas não queriam acusá-lo; reconheceram que ele tinha satisfação em ser o centro das atenções, mas ignoraram isto também.

Mais uma vez, vemos uma situação na qual ninguém queria ser aquele a confrontar, e o resultado foi que, no fim, muitas pessoas ficaram arrasadas emocional e espiritualmente. Em vez de expor e confrontar os erros que viram em Joe, as pessoas simplesmente caíram na armadilha com ele, e no processo, também ficaram presas. Joe era como uma aranha tecendo uma teia. Todos foram arrastados por sua personalidade carismática, e antes que se dessem conta, estavam emaranhados.

Não importa o quanto as coisas possam parecer bem exteriormente; se elas não estiverem bem interiormente, mais cedo ou mais tarde serão reveladas no exterior. Qualquer coisa que não nos dispomos a tratar por fim se levantará e virá tratar conosco.

O MEDO DA REJEIÇÃO

O medo da rejeição em geral é pior do que a rejeição em si. Temer a rejeição o tempo todo é mais atormentador do que simplesmente lidar com o problema nas ocasiões em que ela ocorrer. Temê-la certamente não impedirá que ela aconteça e na verdade poderá abrir a porta para ela.

O medo da rejeição é desenfreado, e a solidão é um dos problemas mais predominantes nos dias de hoje. Está bem documentado o fato de que a solidão alcançou proporções epidêmicas e continua a espalhar-se. Pessoas solitárias têm um sintoma em comum: um sentimento de desespero por não se sentirem amadas e um medo de serem indesejadas ou não aceitas.

O medo da rejeição leva as pessoas a relacionamentos superficiais ou ao isolamento. Ele afeta a capacidade delas de dar e receber amor. O medo da rejeição poderá fazer com que uma pessoa retire o seu amor de alguém com quem ela realmente se importa. Por quê? Ela prefere rejeitar a ser rejeitada. Ela prefere pensar que terminar o relacionamento é escolha sua e não da outra pessoa. Lembrando-se da rejeição do passado, as pessoas em geral têm medo de se aproximarem demais. Elas pensam em como se sentiriam se fossem rejeitadas e acreditam que a dor seria insuportável demais. Elas preferem a dor do isolamento e da solidão, o que só as leva a uma necessidade ainda maior por aceitação.

A solidão é um dos problemas mais predominantes nos dias de hoje.

Em nossa própria vida, podemos observar um ciclo vicioso. Queremos aceitação, mas tememos a rejeição, então, nos isolamos. O isolamento só aumenta a nossa necessidade de aceitação, então tentamos ajudar os outros, e acabamos repetindo o mesmo ciclo sem cessar.

O medo da rejeição só existe porque baseamos a nossa autoestima na opinião dos outros e não no nosso relacionamento com Deus. A maioria dos que nos criticam são na verdade pessoas que têm uma autoimagem negativa. Elas evitam a dor de como se sentem interiormente encontrando coisas erradas nos outros e se concentrando nas suas imperfeições. Pessoas feridas ferem pessoas. Lembrar-se desta verdade poderá ajudá-lo quando você estiver passando por rejeição ou crítica. Não é de admirar que Deus nos diga para orar pelos nossos inimigos. Eles estão em uma situação muito pior do que a nossa!

Quando estava em idade de crescimento, percebi que meu pai acusava outras pessoas de fazerem coisas que ele mesmo fazia. Ele acusava as pessoas principalmente de serem sexualmente promíscuas. Este comportamento sempre me impressionava porque eu sabia como ele era. Ele não apenas abusava de mim sexualmente, como eu também estava ciente da infidelidade dele para com minha mãe com outras mulheres. Ele também acusava as pessoas com frequência de serem falsas e hipócritas, enquanto ele próprio vivia uma mentira. Ele suspeitava de todos e não confiava em ninguém, e isto porque ele próprio era enganador. Na sua forma de pensar, ele transferia todos os seus problemas para as outras pessoas, acusando-as daquilo que ele fazia, enquanto dava desculpas para si mesmo.

Quando as pessoas não se sentem dignas de honra, elas sempre encontram um erro nos outros.

O RESULTADO DA REJEIÇÃO

Vejamos alguns dos resultados de uma vida com raízes de rejeição.

INSEGURANÇA

A insegurança é o problema número 1 causado pela raiz de rejeição. As pessoas que foram rejeitadas não sentem que têm valor, e isto faz com que elas se sintam vulneráveis e inseguras. Elas temem a dor de serem rejeitadas de novo, então desenvolvem maneiras de se protegerem da rejeição. Como vimos, elas podem fazer coisas como se isolarem. Afinal, elas não podem se ferir se não se envolverem com ninguém. Elas podem se tornar pessoas que vivem para agradar aos outros, achando que se agradarem às pessoas o tempo todo, evitarão a dor da rejeição. Elas podem se tornar pessoas que cuidam de todo mundo. Podem achar que se cuidarem das pessoas e forem necessárias, não sentirão a dor da rejeição. Na verdade, elas provavelmente não têm consciência de nada disso, mas evitar a dor da rejeição é o fator motivador em muitas de suas decisões.

Não permita que a forma como as outras pessoas o tratam determine o seu valor.

A insegurança é um distúrbio psicológico de proporções epidêmicas em nossa sociedade atual. Pode-se definir *inseguro* como incerto, sem confiança, ou instável. Deus quer que sejamos exatamente o oposto de todas estas coisas. Ele quer que sejamos certos, confiantes e firmes, mesmo quando as pessoas nos rejeitarem. Não permita que a forma como as outras pessoas o tratam determine o seu mérito ou o seu valor.

A Bíblia nos ensina em Isaías 54:17 que a segurança é parte da nossa herança como filhos de Deus. Ela diz na verdade que a paz, a justiça, a segurança e a vitória sobre a oposição são a nossa herança da parte do Senhor.

REBELIÃO

A rebelião tem suas raízes frequentemente na rejeição. Pessoas rebeldes passaram pela dor da rejeição. Essas pessoas são iradas, e a ira delas é uma raiva interior que se manifesta através da rebelião. Elas se cansaram de serem feridas, e não vão mais suportar isso!

POBREZA

É verdade: Uma vida de pobreza também pode ser resultado da rejeição. Se as pessoas têm uma imagem de pobreza, elas não se vêem como sendo capazes de ter ou desfrutar das melhores coisas da vida. Elas admiram o que os outros têm, mas automaticamente supõem que jamais poderiam tê-las. Elas nem sequer se candidatam a empregos melhores, porque acham que não são dignas de tê-los.

Conheço pessoas que jamais terão muito, simplesmente por causa da forma como se sentem a respeito de si mesmas. Quando conversam, elas dizem coisas do tipo: "Nunca terei a minha casa própria", ou "Jamais terei um carro novo", ou "Eu jamais poderia comprar ali, porque naquela loja não fazem liquidações". Quando perguntei a essas pessoas por que elas acham que não podem ter essas coisas já que os outros as têm, elas me responderam dizendo: "Eu simplesmente não sou dessa classe; estas coisas estão acima de mim".

Esse tipo de pensamento está completamente errado. Todos nós somos apenas pessoas; se estamos em uma determinada classe, é porque nos relegamos a ela ou permitimos que alguém o fizesse. Deus não destinou Seus filhos à classe alta, a classe média ou à classe baixa. O mundo pode pensar assim, mas Deus não pensa, e nós também não deveríamos. As promessas de Deus são para "todo aquele que queira".

Todo aquele que queira crer em Deus e servi-lo de todo o coração pode ser abençoado da mesma forma que todos os demais. Com Deus não há distinção, e Ele não faz acepção de pessoas (ver Gálatas 2:6; Atos 10:34).

> *As promessas de Deus são para "todo aquele que queira".*

ESCAPISMO

O escapismo é outro resultado que vemos entre as pessoas que têm medo da rejeição. Elas criam o seu próprio mundo agradável sonhando acordadas. Não há nada de errado em sonhar acordado de forma saudável de vez em quando, mas viver em um mundo de faz de conta para fugir do mundo real é sinal de problemas mentais e emocionais graves.

VÍCIO EM TRABALHO

Certa vez ouvi falar que 75 por cento de todos os líderes sofreram abuso e passaram por rejeição grave[1]. Quando ouvi esta estatística, fiquei impressionada. Isto acontece simplesmente porque aqueles que sofreram abuso e foram rejeitados trabalham mais do que a maioria das pessoas para realizarem algo de importante a fim de que sejam aceitos.

O abuso e a rejeição que sofreram pode não ter sido por parte dos seus pais; pode ter sido por parte de um professor, dos seus colegas, ou de um relacionamento que era importante para eles. Mas seja qual for a fonte, ela os impulsiona a realizar algo na vida pelo qual eles esperam ser admirados e aplaudidos. Eles sentem que precisam provar algo, e passam a vida tentando fazer isto.

Posso me identificar muito bem com esta situação, porque fui uma pessoa viciada em trabalho. Ainda posso ouvir a voz do meu pai gritando comigo, dizendo-me que eu nunca seria nada de bom e que eu nunca valeria nada. Quanto mais ele gritava, mais determinada eu me tornava em provar que ele estava errado.

Eu provavelmente seria sempre uma pessoa que trabalha duro, porque sou motivada por realização. Houve um tempo em que eu precisava disso para me sentir bem comigo mesma; agora, quero apenas ser frutífera no reino de Deus e para a Sua glória. Não quero desperdiçar o meu tempo. Vivi mais da minha vida do que o tempo que me resta, portanto quero fazer com que o resto dela valha a pena.

As pessoas que têm um passado doloroso em geral são movidas por uma necessidade de se sentirem importantes, de obterem aceitação, de alcançarem uma sensação de segurança. Podemos ter êxito se trabalharmos duro, mas isto nunca nos satisfará se Deus não estiver por trás do nosso sucesso. Finalmente, precisamos saber quem somos nele. Precisamos estar arraigados e alicerçados com segurança em Cristo e no Seu amor (ver Efésios 3:17 e Colossenses 2:7). Passamos a ser aceitáveis a Deus por meio do Amado (Jesus) (Ver Efésios 1:6). A verdadeira aceitação não se encontra nas nossas realizações, mas no que Jesus realizou por nós.

Se não conhecemos esta verdade, podemos correr o risco de trabalharmos até morrer. Acredito que existam pessoas que morrem muito mais cedo do que deveriam porque vivem sob tanto estresse que isto esgota o seu corpo. De um modo geral, somos pessoas compulsivas. Poucos de nós vivem realmente vidas equilibradas e saudáveis.

Somos compelidos por muitas coisas que no final descobriremos que não importam. A Bíblia nos ensina que nada trouxemos a este mundo, e que nada levaremos dele (ver 1 Timóteo 6:7). Ninguém em seu leito de morte disse: "Desejaria ter passado mais tempo no escritório". Acredito em trabalho duro, mas se formos viciados em trabalho, ou se o nosso senso de mérito e valor vem dele, precisamos de ajuda.

Os escritores da Bíblia foram guiados pelo Espírito Santo para nos dizerem seguidamente que as nossas obras não nos colocarão na posição correta diante de Deus. Quando tentamos acertar na vida, isto deve ser o resultado de sabermos que somos amados, e não um esforço para ganharmos amor. Devíamos fazer o que fazemos para Deus, mas não para fazer com que Ele faça algo para nós.

As pessoas que extraem o seu senso de mérito e valor das suas realizações frequentemente falam sobre tudo o que estão "fazendo". Elas naturalmente nunca tiram férias, e ainda que o façam, trabalham também nessas ocasiões. Elas até têm uma atitude crítica para com aqueles que gostam de desfrutar a vida: eles encaram essas pessoas como preguiçosas que não fazem nada, pessoas que simplesmente ocupam espaço e acrescentam muito pouco à vida.

Eles podem ter um complexo de mártir e se ofender profundamente quando as pessoas não notam e aplaudem todos os seus esforços. O próprio fato de buscarem reconhecimento prova que os seus motivos estão errados. Realmente tenho pena dos que são viciados em trabalho. Eles têm pouca habilidade para desfrutar a vida. Como mencionei, é muito provável que eles venham a cair doentes ou até que encurtem o seu período de vida. Eles não têm tempo para desenvolver relacionamentos íntimos, e como resultado disso, frequentemente terminam solitários e esgotados. A coisa mais triste que existe é um homem idoso, por volta dos oitenta anos, sabendo que não tem muito tempo de vida, e quando olha para trás, para a vida que viveu, tudo que lhe resta são remorsos.

Na verdade, a lista dos resultados prováveis de uma raiz de rejeição é interminável, portanto, não entrarei em mais detalhes. Mas para estimular a sua consciência, eis alguns dos quais estou ciente: autocomiseração, culpa, complexo de inferioridade e autoimagem negativa, medos de todos os tipos, desesperança, depressão, atitude defensiva, dureza, desconfiança e desrespeito, competição e ciúmes, e perfeccionismo. O ponto principal é que você precisa fazer as escolhas certas agora para que no final da sua vida não tenha nada a lamentar. Se você acha que pode ser classificado como alguém inseguro, rebelde, com mentalidade de pobreza, escapista, ou viciado em trabalho, você precisa levar em consideração aos seus motivos, entender o que o está motivando, e fazer as mudanças necessárias.

A REJEIÇÃO AFETA A PERCEPÇÃO

A forma como vemos as coisas é afetada quando temos uma raiz de rejeição em nossas vidas. Como mencionei, pessoas com um histórico de rejeição geralmente sentem que estão sendo rejeitadas quando não estão. Elas podem sentir que estão sendo maltratadas quando na verdade não estão. Elas são muito sensíveis à forma como as pessoas as fazem se sentir. Elas na verdade são hipersensíveis.

Antes que Deus me curasse nesta área, eu era uma pessoa com muita dificuldade para ouvir. Se Dave não concordasse

> *As pessoas com um histórico de rejeição geralmente sentem que estão sendo rejeitadas quando não estão.*

inteiramente com tudo que eu dizia, ficava zangada. Eu encarava a não concordância dele como rejeição. Eu tentava *convencê-lo* a concordar comigo para que eu me sentisse segura. Dave, por outro lado, se sentia *manipulado,* como se não tivesse direito a ter a sua própria opinião a respeito de nada. Dave me dizia sempre: "Joyce, só estou dando a minha opinião. Por que você age como se eu a estivesse atacando?" Eu agia assim porque me *sentia* atacada!

Esta situação causou mais do que alguns problemas entre Dave e eu. Eu dizia constantemente: "Simplesmente não podemos conversar sobre nada". Ao que Dave respondia: "Joyce, nós não falamos, absolutamente; você fala, e se eu faço qualquer outra coisa além de ouvir e concordar, você fica irritada".

Se você está tendo problemas em se comunicar com alguém, um de vocês pode ter o mesmo problema que eu tinha. Uma conversa saudável entre duas pessoas deve incluir o direito de ser ouvido. Quero dizer, ouvido de verdade. Você ouve, ou só fala? Eu falava, e queria que Dave ouvisse. Eu queria que ele concordasse comigo. Quando ele não fazia isso, eu parava de ouvir. A essa altura, eu começava a reagir com base nas minhas antigas feridas pela rejeição. Eu me *sentia* rejeitada embora ele não estivesse me rejeitando. Eu encarava as coisas assim, então elas eram assim para mim.

Sei que Deus me transformou, porque não reajo mais à não concordância do modo como reagia anteriormente. Posso falar, e posso ouvir. Gosto que concordem comigo, mas se isso não acontece, respeito o direito das outras pessoas de terem a sua própria opinião. Não me sinto mal simplesmente porque elas não concordam, e estou aberta a considerar que posso estar errada. Mesmo se minha opinião no final estiver errada, isto não significa que há algo de errado comigo. Aprenda a separar as suas opiniões e ideias de você como pessoa.

FALE CONSIGO MESMO

Você pode sobreviver à rejeição, mas precisa dizer a si mesmo que pode fazer isso. Estou sugerindo que você realmente fale em voz alta consigo mesmo, dizendo: "Posso sobreviver à rejeição". Deixe que este pensamento circule pela sua mente: "Posso não ser aceito por todos, mas posso sobreviver a isso".

Todos nós tememos muito a rejeição. Comece a acreditar que você pode sobreviver a ela, se for preciso. Jesus foi rejeitado, e Ele sobreviveu. Você também pode! Valorize o amor incondicional de Deus mais do que a aprovação condicional das pessoas, e você vencerá a rejeição.

Quando digo que você sobreviverá, não quero dizer que você mal conseguirá fazer isso. Quero dizer que a rejeição realmente não lhe importará mais. Você só precisa desenvolver uma nova atitude para com ela. Quando as pessoas me rejeitavam no passado, eu ficava magoada e deixava que a atitude delas controlasse os meus pensamentos durante dias depois daquilo. Quando Dave era rejeitado, ele simplesmente dizia: "Isto é problema deles, e não meu". Qual era a diferença entre ele e eu? Dave era seguro, e eu era insegura. É simples assim! Eu dependia demais do que as pessoas pensavam a meu respeito, e Dave não se importava com o que as pessoas pensavam dele. Ele me disse que não pode fazer nada sobre o que as pessoas pensam; tudo que ele pode fazer é ser ele mesmo.

Se você teve problemas nestas áreas, pare de se torturar com a preocupação com o que as pessoas pensam. Você pode sobreviver à rejeição. Você conseguirá superá-la, e quando as pessoas terminarem de pensar algo mau a seu respeito, farão o mesmo com relação a outra pessoa. Você terá o resto de sua vida para viver, e pode viver sem elas. Se você tem Deus, tem tudo de que precisa. Se Ele sabe que você precisa de qualquer outra coisa, Ele suprirá isso também (ver Mateus 6:8; 33-34).

Mencionei anteriormente no livro que alguns artigos de jornal muito maldosos foram escritos a nosso respeito. Entrei em contato com um homem que era dono de uma revista e que está no ramo de publicações e jornais há muitos anos. Perguntei a ele o que achava que devíamos fazer com relação àquela situação. Ele disse: "Se eu fosse você, ignoraria; tudo isso passará, e na semana que vem eles estarão escolhendo outra pessoa para tiranizar". Sem dúvida, ele estava certo.

> *Se você tem Deus, tem tudo de que precisa.*

Não somos responsáveis pela nossa reputação, de modo algum. Deus é! Portanto, relaxe e continue dizendo a si mesmo: "Posso sobreviver à rejeição. Não sou viciado em aprovação". Repita isto seguidamente até acreditar nisso e até não se importar mais com o modo como as pessoas o tratam. Quando Satanás souber que não pode ferir você com a rejeição, ele irá parar de agir através das pessoas para trazer este tipo de dor à sua vida.

Nesta parte do livro, observamos algumas coisas que precisamos mudar com relação a nós mesmos ao começarmos a quebrar o ciclo do vício em aprovação. Na próxima seção, nos concentraremos em algumas verdades importantes finais com relação à nossa perfeição em Deus e para onde precisamos nos dirigir em nossa vida. Há boas notícias para nós se estivermos dispostos a dar estes passos!

PARTE III

Quebrando o Padrão para o Futuro

CAPÍTULO 12

Quebrando os Poderes que nos Controlam

Quando permitimos que outras pessoas nos dominem, isto ofende a Deus. Ele enviou Jesus, Seu único Filho, para comprar a nossa liberdade com a Sua vida. A Bíblia diz que fomos comprados por um preço (Ver 1 Coríntios 6:20), e esse preço é o sangue precioso do único e amado Filho de Deus.

Se você está permitindo que alguém controle a sua vida – que o intimide, manipule e constranja a fazer o que sabe em seu coração que não está certo – então você precisa quebrar esses poderes dominadores. Não é a vontade de Deus para nós que sejamos controlados por qualquer pessoa a não ser pelo Seu Espírito Santo, e até mesmo esta decisão, Ele deixa que seja tomada por nós. Deus não nos forçará a fazer Sua vontade, então certamente não devemos permitir que ninguém mais o faça.

Os viciados em aprovação quase sempre terminam sendo controlados e manipulados por outras pessoas. Satanás sempre coloca no caminho deles um "explorador". Um explorador é alguém que tira vantagem das pessoas enganosamente em benefício próprio sem qualquer preocupação pelos outros.

As pessoas que estão sendo controladas não são confrontadoras, e as que são controladoras não gostam de ser confrontadas. Esses dois tipos de pessoas disfuncionais exploram as fraquezas uma da outra. Uma dá poder à outra.

O POSSIBILITADOR

Precisamos reservar algum tempo para discutirmos sobre a pessoa que é um *possibilitador*. Podemos permitir que as pessoas nos mantenham em cativeiro cedendo continuamente às exigências delas em vez de optarmos por fazer o que acreditamos que é certo para nós como indivíduos.

As pessoas irão tirar vantagem de você, se você permitir isso. Elas serão usadas por Satanás para desviar você daquilo em que deveria estar focado, que é a vontade de Deus para sua vida. A coisa mais vital para qualquer Cristão é a obediência pronta e imediata a Deus. Como já vimos, é impossível agradar a Deus e às pessoas ao mesmo tempo. As duas coisas terminarão sendo diametralmente opostas uma à outra.

Uma mulher que assistia a muitas de nossas conferências dizia ter um passado de abusos terrível. Nas nossas reuniões, a mulher exibia um comportamento muito perturbador. Ela era problemática. Caía no chão, se enrolava em posição fetal, ficava violentamente perturbada quando era tocada, e tinha de ser literalmente levada para fora da reunião.

Sempre tínhamos várias pessoas ministrando a ela da melhor forma que podiam, mas este padrão continuou se repetindo.

Comecei a temer sempre que ouvia dizer que ela estava chegando. Quando eu a via, sentia meu coração afundar.

Às vezes eu me sentia mal por meus sentimentos negativos. Sentia que devia ajudá-la, mas sinceramente não sabia o que fazer por ela. Havia vezes em que ela parecia tão sã quanto qualquer outra pessoa, mas havia vezes em que ficava completamente fora de controle. Ou, como descobri mais tarde, ela estava no controle! Ela não estava no controle de si mesma, mas estava controlando as minhas reuniões e a minha equipe com o seu comportamento.

Certa tarde, quando ensinava a Palavra de Deus a uma multidão de milhares de pessoas, essa mulher começou a agir do mesmo modo de sempre, mas dessa vez ela caiu da cadeira e ficou deitada no chão entre duas fileiras. A atenção de todos nas várias fileiras em torno dela voltou-se para aquele lado. Os membros da nossa equipe tiveram de ficar entre as fileiras e tentaram ministrar a ela. Finalmente, eles a levaram dali como haviam feito antes. Isto, naturalmente, atrapalhou totalmente a reunião. Eles a levaram para uma sala particular e oraram por ela, mas nada mudou.

Uma das mulheres que estavam tentando ajudá-la sentiu em seu coração que a mulher estava representando um papel para chamar a atenção, então, deu um passo ousado. Ela disse: "Está bem, senhora, pode ficar deitada aí quanto tempo quiser. Haverá um introdutor do lado de fora da porta, mas vou voltar ao meu assento; não quero perder mais o ensino". Ela saiu da sala, ficou no corredor, e esperou para ver o que a mulher iria fazer. Quando a mulher achou que ninguém estava olhando, ela se levantou, saiu, e deixou o prédio.

Aquela mulher estava nos manipulando para chamar a atenção. Ela havia sofrido abuso no passado, e realmente precisava de ajuda, mas naquele momento em especial estava nos usando, e nós não a estávamos ajudando. Enquanto continuássemos a ser indulgentes para com o seu comportamento bizarro, estávamos permitindo que ela permanecesse naquela armadilha. Confrontá-la foi a coisa mais gentil que poderíamos ter feito.

Às vezes achamos que estamos sendo maus se confrontarmos as pessoas que têm problemas, quando na verdade, o que Jesus frequentemente usava para libertar as pessoas era o "amor rígido".

A coisa mais vital para qualquer Cristão é a obediência pronta e imediata a Deus.

Embora Jesus tivesse compaixão das pessoas que sofriam, Ele nunca sentia simplesmente pena delas. E sempre que possível, Ele as instruía a tomar alguma medida específica, e as instruções dele eram muitas vezes chocantes. Por exemplo, Ele disse a um aleijado para se levantar, tomar a sua cama, e ir para casa (ver Mateus 9:6). Ele disse a um homem que havia acabado de receber a notícia de que sua filha estava morta para não ter medo (Marcos 5:35-36). Quando viu um cego, cuspiu no chão, fez um pouco de lama misturando sujeira com o cuspe, e esfregou aquilo nos olhos do cego. Então ele instruiu o homem a ir até o tanque de Siloé e se lavar nele; quando o homem fez o que Jesus ordenara, ele pôde ver (ver João 9:1-7).

Vemos que Jesus muitas vezes dizia às pessoas para fazerem coisas que eram não apenas surpreendentes, como também aparentemente impossíveis. Como poderia um aleijado se levantar, pegar sua cama e andar? Afinal, era um aleijado. Como poderia se esperar que um homem que havia acabado de receber a notícia da morte de sua filha não temesse? Como um cego poderia chegar até um certo tanque de água, se não enxergava? Em lugar de simplesmente sentir pena dessas pessoas, Jesus motivou-as a agir. Ele as ajudou a desviarem a mente de si mesmas e dos seus problemas, e as motivou a fazerem algo a respeito. Jesus movia-se de compaixão (ver Mateus 9:36 KJV). Ele era movido a fazer algo além de permitir que as pessoas ficassem do jeito que estavam.

Quando Marta quis que Jesus instruísse sua irmã Maria a se levantar e ajudá-la com o trabalho, Jesus disse a Marta que ela estava ansiosa e preocupada com coisas demais e que Maria estava fazendo o que era certo ao adorá-lo (ver Lucas 10:38-42). Jesus era direto, Ele não permitia que ninguém continuasse no engano.

Quando deixamos de confrontar as pessoas que estão nos controlando, permitimos que elas fiquem do jeito que estão.

TOME AS SUAS PRÓPRIAS DECISÕES

Não permita que outras pessoas tomem as suas decisões por você. Você está sendo muito insensato (tolo) se permitir que outros façam escolhas por você. A Bíblia diz que há segurança na multidão de conselheiros (ver Provérbios 11:14). É bom considerar o que os outros dizem, mas a escolha final deve ser sua. Como diz o ditado: "A verdade está no coração de cada um"; do contrário, não pode haver verdadeira felicidade.

Ser controlado e manipulado rouba a sua alegria e a sua paz. É algo que ministra morte ao seu espírito, à sua mente, às suas emoções e a todas as demais partes da sua vida. Deus disse: "Te propus a vida e a morte, a bênção e a maldição; escolhe, pois, a vida, para que vivas, tu e a tua descendência" (Deuteronômio 30:19).

Se você vai escolher a vida, então precisa optar por confrontar essas pessoas em sua vida que tentam controlá-lo. As pessoas realmente o respeitarão se você tiver limites em sua vida – áreas em que você lhes permite acesso e áreas em que você não lhes autoriza o acesso.

Dave e eu dirigimos o *Ministério Joyce Meyer* juntos como co-diretores do ministério. Ambos temos personalidades fortes e frequentemente aconselhamos um ao outro. Recebo conselhos de Dave em todas as áreas exceto sobre o que estou ensinando em nossas conferências e na televisão. Sei que devo receber esta informação do Espírito de Deus – e não de Dave ou de outros – se quero que ela seja ungida. Sou porta-voz de Deus, e, como tal, preciso ser dirigida por Ele naquilo que ensino.

Dave tem suas próprias áreas de especialidade. Ele trabalhou na área da engenharia antes de ingressar no ministério em tempo integral. Quando construímos a sede do nosso ministério, ele ficou muito envolvido no processo porque entende dessa área. Em algumas ocasiões tentei dar a ele conselhos sobre algo com relação à estrutura do prédio, e ele educadamente me disse que eu deveria deixar que ele tratasse do prédio uma vez que essa era a sua área.

Cada um de nós recebe conselhos um do outro, mas temos os nossos limites, e nos respeitamos por isso.

E QUANTO À SUBMISSÃO À AUTORIDADE?

A Bíblia nos ensina a nos submetermos à autoridade (ver 1 Pedro 2:13). Devemos nos submeter à autoridade civil, eclesiástica, profissional, familiar, e conjugal. Uma atitude de rebelião é uma das piores atitudes que podemos ter. Se não quisermos nos submeter à autoridade do homem, não nos submeteremos à autoridade de Deus também.

Entretanto, uma pergunta sempre surge: "E se a autoridade sob a qual estou for injusta?" Em alguns aspectos, esta é uma pergunta difícil de responder simplesmente porque frequentemente achamos que nada do que fazemos é injusto. Deus não quer nem espera que soframos qualquer tipo de abuso. Mas podemos ter de suportar algumas coisas que sentimos que são injustas.

A Bíblia diz: "Porque isto é grato, que alguém suporte tristezas, sofrendo injustamente, por motivo de sua consciência para com Deus" (1 Pedro 2:19). Coisas injustas podem nos acontecer nesta vida, mas Deus é justo, e Ele sempre consertará as coisas que estão erradas, se formos pacientes e colocarmos a nossa confiança nele. O nosso sofrimento não torna Deus feliz, mas quando continuamos a fazer o que é certo mesmo que signifique que tenhamos de sofrer, isto agrada a Deus.

A Bíblia diz: "Alguém é visto de modo favorável (é aprovado, aceito e digno de gratidão), se, aos olhos de Deus, suporta a dor de sofrer injustamente" (AMP). Creio que a expressão chave neste versículo é "se, aos olhos de Deus". Em outras palavras, devemos suportar a dor do sofrimento injusto por Deus, e não necessariamente porque o queremos. O versículo anterior ao que citei acima fala especificamente sobre a submissão à autoridade que possa ser injusta ou perversa. Então, se suportarmos o sofrimento injusto por parte de uma autoridade que é injusta ou perversa, por amor a Deus e ao Seu Reino, isto agrada a Ele.

Por exemplo, uma pessoa pode ser dirigida pelo Espírito Santo a permanecer em um emprego onde não é tratada justamente para ser um exemplo aos incrédulos, mostrando a forma correta de se comportar em uma situação assim. Ou uma pessoa pode ser o único crente em Jesus Cristo em sua empresa, e o Espírito Santo pode guiá-la a permanecer ali para ser uma luz em um ambiente que seria de trevas. Com muita frequência estamos mais preocupados com o nosso próprio conforto pessoal do que em darmos bons frutos para o reino de Deus. Se estar dentro da vontade de Deus representa algum sofrimento pessoal ou desconforto, não devemos temer isso. Qualquer coisa que façamos para Deus ao final trará uma recompensa. Deus sempre nos vinga, e faz justiça em nossas vidas, mas há um tempo em que precisamos suportar coisas que parecem injustas no momento.

> *"E se a autoridade sob a qual estou for injusta?"*

Também há momentos em que não devemos suportar; em vez disso, devemos confrontar. Discernir entre quando suportar e quando confrontar é a verdadeira chave do sucesso e realização nesta área. Não posso lhe dar uma direção exata com relação a este assunto. Há tempo de não se fazer nada e tempo de se fazer algo. Cada um de nós deve buscar a Deus e ser sensível para seguir o Seu direcionamento.

Algumas pessoas são tão tímidas, que suportam mais do que deveriam. Elas se tornam um capacho para as pessoas pisarem. O resultado é que passam suas vidas sendo maltratadas. Outras pessoas confrontam rápido demais e com muita frequência. Essas pessoas precisam aprender a se aquietar e esperar em Deus.

As pessoas podem achar que são livres quando se recusam a se submeter a alguém, mas na verdade elas estão em grande cativeiro. A verdadeira liberdade é ser livre para não exercer uma liberdade se exercê-la não for bom para todos os envolvidos. O amor é a lei mais elevada no reino de Deus, e o apóstolo Paulo declarou em Romanos que se o que fazemos faz com que nosso irmão se ofenda ou fere os seus sentimentos, então não estamos andando em amor (ver Romanos 14:21). Paulo também disse que era livre para fazer qualquer coisa que quisesse, mas que também era livre para disciplinar os seus desejos pessoais para o bem do reino (ver 1 Coríntios 6:12 e 9:22).

> *O amor é a lei mais elevada do reino de Deus.*

Como cristãos, podemos dizer que somos livres para fazer o que quisermos; no entanto, no que se refere a viver em comunidade com outros, este tipo de filosofia simplesmente não funciona. Quando uma pessoa em um grupo ou sociedade controla todos os demais, isto se chama ditadura, e não família ou comunidade. O único que acha que é feliz é o ditador, e até ele descobre finalmente que também não é feliz. Deus nos criou para vivermos e trabalharmos juntos em amor e unidade; sem amor e unidade nada mais funcionará devidamente.

Vamos dar uma olhada em algumas das áreas nas quais muitas vezes somos desafiados pela autoridade negativa.

TRABALHO

Quando um patrão exige tanto de um empregado a ponto de arruinar sua vida doméstica, sua vida espiritual, e talvez a sua saúde, esse empregado não está sendo rebelde se confrontar o patrão e declarar claramente o que pode e o que não pode fazer. Na verdade, ele seria mais culpado se não o confrontasse do que se o fizesse.

Deus espera que uma pessoa coloque seu casamento, sua família, seu lar, sua vida espiritual e sua saúde acima do seu trabalho. Se ele perder o emprego por causa de uma confrontação necessária, Deus o ajudará a conseguir outro melhor. É triste quando uma pessoa vive com tanto medo de perder dinheiro ou reputação que se permite perder a saúde, o respeito da sua família e um bom relacionamento com Deus. Se você tem permitido que alguém o controle, deveria perguntar a si mesmo que preço está pagando para ter a aprovação dessa pessoa.

Se você não quer pagar o preço, não entre no jogo.

Como mencionei anteriormente, trabalhei para um homem que exigia demais de seus empregados. Ele era um líder cristão, e eu o respeitava imensamente. No princípio, simplesmente supunha que qualquer coisa que ele me pedisse para fazer deveria ser o que Deus queria que eu fizesse. Mas depois de algum tempo, comecei a perceber que minha vida estava seriamente desequilibrada por tentar atender a todas as exigências de meu patrão a fim de manter meu emprego.

Lamento dizer que deixei a situação se deteriorar a ponto de ficar doente, e meu casamento e meus filhos precisavam de atenção urgente. Eu tinha a aprovação do meu patrão, mas estava fora da vontade de Deus.

Podemos frequentemente olhar para trás e ver o que fizemos de errado no passado com mais facilidade do que podemos ver o que estamos fazendo de errado enquanto estamos presos nas emoções dos acontecimentos atuais. Mas, pelos menos, podemos aprender com os nossos erros e não cometer a mesma tolice duas vezes. Aprendi uma lição com esta situação que foi benéfica em muitas outras vezes em minha vida: Quando permitimos que nossas vidas fiquem desequilibradas, sempre pagaremos o preço em algum ponto da estrada. Se você não quer pagar o preço, não entre no jogo que precisa jogar para ter a aprovação de todos.

IGREJA

Quando um pastor ou outro líder espiritual tenta "ouvir Deus" por todo o seu povo com relação às decisões que eles devem tomar, está cometendo abuso espiritual. Todos temos o Espírito Santo, e podemos ouvir de Deus nós mesmos. Isto não significa que nunca precisamos de conselhos, porque precisamos. Mas algumas pessoas realmente perdem totalmente o equilíbrio nesta área.

Dave e eu certa vez tivemos um pastor que ensinava que o povo de sua congregação não deveria sequer vender suas casas e se mudarem a não ser que perguntassem se ele sentia que aquela era a decisão correta para o momento.

Esse tipo de atitude é naturalmente controladora e totalmente anti-bíblica. Pelo que sei, aquele homem era inseguro e queria que as pessoas dependessem dele para tudo, para que se sentisse importante. Aquele mesmo homem também disse a meu marido que ele estava cometendo um erro ao deixar-me dar o estudo Bíblico em nossa casa. Ele disse que meu marido era quem deveria estar ensinando. Só havia um pequeno problema: Deus havia dado o dom de ensino a mim, e não a meu esposo. Dave tentou ensinar por algum tempo, e eu tentei ficar calada. Nenhum de nós estava feliz ou tendo êxito nos seus esforços!

Pessoas bem intencionadas podem tentar lhe dizer o que você deve fazer, mas isto nem sempre significa que elas estão certas. Dave e eu teríamos perdido uma oportunidade de compartilhar o Evangelho com milhões de pessoas em todo o mundo se tivéssemos ouvido aquele pastor. Ele pode ter sido sincero, mas estava sinceramente errado.

LAR

Os pais precisam saber quando devem soltar seus filhos. Não há nada pior do que pais que ainda estão tentando governar a vida de seus filhos adultos. Os pais não devem fazer isso, mas os filhos não devem permitir isto tampouco. Ambos têm uma responsabilidade. Há vezes em que Dave e eu damos conselhos aos nossos filhos, e estou certa de que há vezes em que eles não querem os nossos conselhos. Podemos dizer a eles o que pensamos, mas não tentamos fazer com que eles façam o que dizemos. Entendemos que eles precisam ser livres para tomarem as suas próprias decisões e lidarem com as suas próprias consequências. Se eles nos dão qualquer indicação de que realmente não querem nossos conselhos com relação a uma determinada situação, guardamos a nossa opinião para nós mesmos, o que é a coisa certa a fazer.

Mesmo que tenha certeza de que seu filho está cometendo um erro, talvez você não possa fazer nada a respeito. Às vezes os filhos aprendem mais com os erros que cometem do que com qualquer outra coisa.

MARIDOS E MULHERES

Por este assunto surgir com tanta frequência em questões de autoridade e submissão, quero abordá-lo com mais atenção. Na Bíblia, é dito às esposas para se submeterem a seus maridos "como ao Senhor" (Efésios 5:22 KJV). Este tem sido um grande problema para muitas mulheres, principalmente em nossa sociedade de hoje, em que as mulheres estão lutando por igualdade de direitos. As mulheres são iguais aos homens; a Bíblia não diz que não são. Mas Deus é um Deus de ordem (ver 1 Coríntios 14:33), e jamais pode haver ordem se alguém não estiver definitivamente no comando. Alguém precisa ter a autoridade final para dizer o que será e o que não será feito, principalmente quando houver divergência de opiniões.

As mulheres não devem sofrer abuso ou ser controladas por seus maridos. Se um homem domina sua esposa – se ele não lhe dá dinheiro, lhe diz o que vestir, não permite que ela tenha amigos, se recusa a deixá-la ir à igreja ou a ler livros cristãos, etc. – então creio que ele está desequilibrado, e ela precisa confrontá-lo. Isto é completamente diferente do quando o marido pede à mulher algo que ela não quer fazer. Fazer coisas que não queremos faz parte da vida. A Bíblia nos diz que devemos nos adaptar e nos ajustar uns aos outros para mantermos a paz em nossos relacionamentos (ver Romanos 12:16). Entre duas pessoas ou em um grupo de pessoas deve haver tanto o dar quanto o receber; quando isto não acontece, a situação pode se transformar facilmente naquela em que uma pessoa controla todas as demais. Isto não é certo!

Como esposa, foi muito difícil para mim aprender a me submeter à autoridade de Dave e ser respeitosa para com as opiniões dele. A dor que eu havia sofrido em meu passado como resultado da natureza controladora de meu pai havia me deixado com uma visão negativa sobre a questão da submissão. Havia muitas situações em que eu achava (ou sentia) que Dave estava tentando me controlar, quando na verdade esse não era absolutamente o caso. Até se ele tivesse uma opinião que diferisse da minha, eu me sentia ameaçada. Se ele alguma vez me dissesse que não queria que eu fizesse algo, eu reagia gritando: "Se você acha que vai me controlar, está muito enganado!".

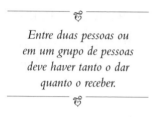

Entre duas pessoas ou em um grupo de pessoas deve haver tanto o dar quanto o receber.

Com a ajuda de Deus, finalmente percebi que meu medo de que Dave estivesse tentando me controlar na verdade me tornava uma pessoa controladora. Sou eternamente grata ao Espírito Santo por me mostrar a verdade que me libertou para ser submissa à autoridade – e grata por Dave ter ficado comigo por tempo suficiente para que eu aprendesse.

Mais uma vez, submeta-se à autoridade, mas não se deixe controlar. Se você é alguém que ocupa uma posição de autoridade, seja dominante, mas não seja um controlador. Tentei aprender a não ser uma "patroa autoritária". Oro para que Deus me dê equilíbrio nessas áreas. Elas nem sempre são fáceis de discernir, mas o Espírito de Deus nos guiará se lhe permitirmos. Quando você cometer erros, o que todos nós fazemos, admita-os e aprenda com eles.

CARACTERÍSTICAS DE UM CONTROLADOR

Se você está sendo controlado, o controlador é provavelmente alguém que você ama e respeita, ou ao menos alguém de quem você gostou e respeitou em algum momento. Você pode ter perdido o respeito por essa pessoa por causa do excesso de controle dela, mas ficou tão envolvido nesse ciclo que não sabe como se libertar.

O controlador pode ser alguém de quem você precisa, e ele geralmente sabe disso. Pode ser alguém que o sustenta financeiramente, e você não sabe o que faria se essa pessoa não estivesse em sua vida. Pode ser alguém com quem você se sente em dívida por algum motivo, alguém que fez muito por você no passado – e que constantemente lembra você disso. Pode ser alguém a quem você feriu no passado, e agora você sente que está em dívida para com essa pessoa pelo resto de sua vida.

O controlador pode ser alguém de quem você tem medo. Este era o caso com meu pai e com o nosso relacionamento. Você pode ter medo de sofrer danos físicos ou perdas, como no caso de pais que ameaçam retirar os filhos de seus testamentos e não lhes deixarem dinheiro ou bens se não fizerem tudo que eles querem.

O controlador pode ser alguém que foi controlado na infância, e agora está agindo de acordo com o comportamento aprendido. Pode ser uma pessoa orgulhosa, egoísta ou preguiçosa, (alguém que deseja e espera que todos o sirvam).

O controlador pode ser uma pessoa profundamente insegura que se sente melhor quando está no controle. É possível que ele precise ocupar sempre a posição número 1 para se sentir seguro.

CARACTERÍSTICAS DA PESSOA QUE É CONTROLADA

A pessoa mais provável de ser controlada é aquela que sempre foi controlada, de modo que isto se tornou um hábito, um modo de vida. Essa pessoa não está acostumada a tomar suas próprias decisões. Pode ser uma pessoa insegura, medrosa ou tímida, que nunca confrontou nada nem ninguém na vida. A sua desculpa é "Não gosto de confrontos". A minha resposta é: "Todos nós temos de fazer coisas que não gostamos de fazer".

A pessoa que é controlada pode ter uma autoimagem negativa.

Uma pessoa que é controlada pode estar confusa com relação à submissão à autoridade. Ela pode não ser capaz de ver a diferença entre a verdadeira submissão que vem de Deus e o tipo errado de controle instigado de forma demoníaca. Ajudaria muito se ela se lembrasse de que o diabo controla, ao passo que Deus guia!

A pessoa que é controlada pode ter uma autoimagem negativa. Ela pode menosprezar tanto a sua capacidade a ponto de supor que todos os demais estejam certos, e que ela está sempre errada. A qualquer momento em que alguém discorde dela, ela instantaneamente se fecha em si mesma e se submete. Esta pessoa pode ser um indivíduo neurótico que se acha culpado em todo e qualquer conflito.

A pessoa que é controlada pode ser dependente de outras pessoas no que diz respeito a cuidados, finanças, local de moradia, emprego, companhia, etc. A pessoa que é controlada pode ter errado em determinado momento e agora se sente em débito com o controlador, então ela permite que o controle continue.

CARACTERÍSTICAS DO CONTROLE

O controle tem duas características principais, uma emocional e outra verbal.

CONTROLE EMOCIONAL

A manipulação emocional é uma das características mais evidentes e poderosas do controle. Lágrimas, raiva e silêncio (principalmente o silêncio como uma forma de rejeição) são métodos utilizados com frequência pelos controladores para controlar outras pessoas.

Vejamos uma situação do cotidiano: tanto os pais do marido quando os da esposa querem que os recém-casados passem o feriado com eles. Os pais controladores podem usar o silêncio, a raiva, as lágrimas ou a ira para conseguir o que querem. Eles podem lembrar ao casal "todo o dinheiro" que lhes deram. Isso, naturalmente, faz com que o casal se sinta em dívida, e nesse caso os pais na verdade não lhes "deram" nada. Dar de verdade é algo que não se faz com cordas acopladas através das quais as pessoas que recebem o presente podem ser arrastadas para a direção que o doador deseja que elas vão.

Por outro lado, os pais que se comportam de forma adequada darão liberdade ao casal para tomar decisões por si mesmo; eles não o pressionarão. Se forem pais cristãos, provavelmente orarão a Deus para que Ele os oriente, e também a seus filhos, e depois irão cuidar dos seus afazeres, confiando que Deus resolverá. Os pais que fazem o mínimo de pressão podem nem sempre conseguir ter seus filhos em casa nos feriados, mas receberão o máximo de amor, admiração, e respeito.

Embora eu estivesse enganada quanto à verdadeira natureza de minhas ações, tentei usar de manipulação emocional durante anos. Todas as vezes que Dave não fazia o que eu queria que ele fizesse, ficava zangada, muda, chorava, fazia cara feia, tinha uma atitude deplorável, e limpava a casa ou trabalhava continuamente em outras tarefas esperando fazer com que ele se sentisse culpado ou sentisse pena de mim.

Fico feliz em dizer que isto não funcionou. Não importava a forma como eu agisse, Dave continuava feliz e fazia o que achava que devia fazer. Se eu tivesse tido êxito em minha tentativa de controlá-lo com minhas emoções, poderia ainda estar na mesma armadilha. A ausência de confronto por parte dele teria permitido que eu continuasse agindo de forma controladora. Se você é um controlador e realmente quer ser corajoso, ore para que Deus leve as pessoas a confrontá-lo a qualquer momento em que você realmente precise. Depois ore para que você receba o confronto e não reaja de forma defensiva, com ira, acusações e desculpas.

CONTROLE VERBAL

Outras pessoas podem tentar controlar com palavras de fracasso, derrota, obrigação, culpa, crítica, e intimidação. Às vezes, usam ameaças. Por exemplo, elas podem ameaçar com perda de relacionamento (rejeição). Em outras palavras, elas podem insinuar que se você não fizer aquilo que elas querem que você faça, elas não desejarão mais se relacionar com você. Acredito que muitos adolescentes se envolvem com drogas, álcool e comportamento sexual impróprio por serem ameaçadas com a perda dos relacionamentos. Chamamos isto de "pressão dos colegas". Na verdade, trata-se de controle.

Há muitos métodos de controlar os outros. Se você está sendo controlado, aprenda a reconhecer os métodos que estão sendo usados contra você. Se você é um controlador, peça a Deus para ajudá-lo a reconhecer os seus próprios métodos de controle. Você não pode fazer nada a respeito de algo que não reconhece. Ore pela verdade; a verdade o libertará!

SINTOMAS A SEREM OBSERVADOS

Se você não é capaz de interagir com outros sem que o controlador faça com que se sinta tenso e culpado por estar se divertindo, o que você está sentindo é um sintoma de alguém que é controlado.

Ou talvez você não possa fazer novos amigos sem que o controlador se torne ciumento e possessivo. Você sente que sempre tem de "checar" as coisas com o controlador antes de fazer qualquer coisa. Você não tem sua própria vida pessoal. Precisa contar tudo ao controlador, convidá-lo para todos os lugares, e ter a opinião dele sobre tudo.

Talvez o controlador ocupe a sua mente de um modo exagerado. Você vive com um sentimento vago de medo do que ele pensará ou dirá sobre tudo que você faz.

Estes são sinais de uma crise que precisa ser tratada. Vamos dar uma olhada em cinco passos importantes para se alcançar a libertação do controle.

1. RECONHEÇA

O primeiro passo para se libertar do controle é reconhecer que você está sendo controlado. Algumas pessoas podem achar que estão apenas procurando manter a paz. Como cristãos, podemos acreditar que somos obrigados a manter a paz a qualquer preço. A Bíblia realmente nos ensina a sermos pacificadores e mantenedores da paz, e a nos adaptarmos às outras pessoas para termos harmonia:

> Tende o mesmo sentimento uns para com os outros; em lugar de serdes orgulhosos (esnobes, arrogantes, elitistas), condescendei com o que é humilde; não sejais sábios aos vossos próprios olhos. (Romanos 12:16, AMP)

Como cristãos, devemos fazer tudo que estiver ao nosso alcance para manter a paz, mas isso não significa que devemos permitir que os outros nos controlem. Qualquer versículo das Escrituras levado ao extremo pode gerar problemas. Vivendo em amor, devemos fazer o que for para o bem e para o benefício das outras pessoas, mas precisamos entender que não é bom para elas permitirmos que nos controlem.

2. AJA

Quando você reconhecer que está sendo controlado, opte por fazer algo a respeito. Você não deve permitir que isso continue – não apenas para o seu bem, mas também para o bem do controlador. Se permitir que isso siga em frente, você estará dando permissão a ele para isso, e se tornará tão culpado quanto ele. Um mau hábito foi formado e precisa ser quebrado. Você provavelmente *reage* ao controlador de certas maneiras, mas precisa aprender a *agir* sobre a Palavra de Deus e sobre a instrução que Ele lhe dá. Isso exigirá uma certa dose de oração e de determinação. Não desanime se levar tempo. Alguém já disse que são necessários trinta dias para se formar um hábito e trinta dias para se quebrar um. Imagino que quando você tiver confrontado o controlador trinta vezes, você terá caminhado um bom pedaço no sentido de desenvolver um novo conjunto de regras de relacionamento.

3. ENTENDA

Como mencionei, você precisa aprender *como* a pessoa o controla. É através do medo, da irritação, do silêncio, da fúria, das lágrimas, da culpa ou das ameaças? É importante reconhecer rapidamente as táticas de controle e resistir a elas imediatamente: Quanto mais rápido você resistir, menos provável será que você caia na armadilha de onde está tentando se libertar.

4. CONFRONTE

Enfrente a batalha do confronto. Entenda que se você permitiu que outra pessoa consiga as coisas do jeito dela o tempo todo, ela não gostará quando você mudar. Pode até ser sábio você discutir o assunto com a outra pessoa. Você poderia dizer algo do tipo: "Talvez você não faça isto intencionalmente, mas sinto que está me controlando. Preciso ter liberdade em nosso relacionamento, e Deus me mostrou que embora você não deva me controlar, tenho agido de forma errada ao permitir isso. Vou mudar, e entendo que talvez isto não seja fácil para você. Amo você, e quero que o nosso relacionamento cresça, mas de agora em diante seguirei o meu próprio coração".

Não espere que a pessoa reaja positivamente. Assim como você foi viciado em aprovação, o controlador é viciado em controle. Nenhum vício é quebrado sem algumas reações carnais. Como sempre digo, "A carne (a natureza carnal do homem) nunca morre sem lutar".

Talvez você tenha medo de partir para o confronto, mas precisa fazê-lo, ainda que tenha de *fazer isso com medo!* Se você permanecer firme, o controlador finalmente passará da raiva ao respeito. Em todos os relacionamentos que tive com pessoas que me permitiram controlá-las, eu jamais as respeitava. Na verdade, eu não as respeitava porque elas não me confrontavam.

> *Nenhum vício é quebrado sem algumas reações carnais.*

Talvez você tenha medo de perder o relacionamento, e esta é uma possibilidade. A única coisa que posso dizer é que é melhor perder o relacionamento do que passar a vida sendo controlado e manipulado. Se as pessoas não tiverem outro interesse em você a não ser controlá-lo, então elas não estão absolutamente interessadas em você. Não permita que as pessoas usem você.

5. ORE

Não tente fazer nenhuma destas mudanças sem muita oração. O momento certo é muito importante em situações como esta. Ore pelas pessoas que você precisa confrontar, pedindo a Deus para preparar o coração delas. Peça a Ele que as conscientize de suas atitudes antes mesmo que você fale com elas.

UMA PALAVRA AOS CONTROLADORES

Embora a maior parte deste livro se dirija àqueles que são viciados em aprovação, e no processo permitem que outros os controlem, também sei que algumas pessoas que estão lendo este livro são controladores e manipuladores. É possível ser um controlador e ao mesmo tempo ser alguém que é controlado. Houve períodos em minha vida em que eu controlava qualquer pessoa que permitisse, e, ao mesmo tempo, eu estava sendo controlada por outra pessoa. Em ambos os casos, eu estava fora da vontade de Deus. Pode ser que aconteça o mesmo com você. Por exemplo, você pode ser controlado por seu patrão e ao mesmo tempo estar exercendo controle sobre a sua família em casa.

Se você não tem certeza se está exercendo controle sobre alguém, faça a seguinte pergunta a si mesmo: Como reajo quando as coisas não acontecem do meu jeito? Você geralmente fica zangado ou tenta convencer os outros de que o seu jeito seria melhor? Você fica infeliz até conseguir o que quer? Seja sincero em sua resposta, e você poderá identificar rapidamente se tem este problema.

As pessoas têm direito de tomar suas próprias decisões. Deus quer que sejamos guiados pela Sua Palavra e pelo Seu Espírito, e não por forças externas. Ele também quer que deixemos que os outros sejam guiados do mesmo modo. Na verdade, não devemos apenas deixar que outros sejam guiados por Deus, como devemos encorajá-los e ajudá-los a fazer isto. Quando queremos que os outros façam alguma coisa, e eles parecem estar inseguros quanto a isso, em vez de tentarmos convencê-los a fazer o que queremos, devemos dizer a eles para orarem a respeito, e depois confiarem que Deus lhes mostrará o que fazer. Podemos encorajar as pessoas a fazerem alguma coisa, mas não devemos manipulá-las para que façam o que queremos. Como diz o ditado: "Se você ama alguém, deixe-o livre; se ele pertencer a você, voltará por si só". O verdadeiro amor implica em ajudarmos alguém a tomar a decisão certa para todos os envolvidos, e não apenas a decisão certa para nós.

CINCO COISAS A SEREM FEITAS CASO VOCÊ SEJA UM CONTROLADOR

Se você tem tendências controladoras, precisa fazer o seguinte:

1. Admita isto para si mesmo. Experimente dizer em voz alta: "Sou um controlador".
2. Peça a Deus para perdoá-lo e para ensinar-lhe a respeitar o direito dos outros.
3. Peça perdão à pessoa que você tem tentado controlar.
4. Incentive-a a ser sincera com você quanto à forma como ela realmente se sente com relação à situação entre vocês. Peça à pessoa para confrontá-lo quando você se comportar de forma imprópria.
5. Não desista nem desanime se a sua mudança levar tempo.

Você precisa entender que a sua tendência de ser um controlador não desaparecerá da noite para o dia. Mesmo depois de admiti-la e começar a reconhecê-la, ainda será necessário algum tempo para se libertar. Confessar os nossos erros uns aos outros quebra o poder que eles exercem sobre nós e tem um efeito libertador sobre todos os envolvidos (ver Tiago 5:16). Encarar a verdade dá início a um processo de cura em sua vida. Quando eu estava no meu processo de cura, disse a meu marido que me dissesse caso eu falasse com ele de uma maneira desrespeitosa.

Eu tinha uma vida inteira de maus hábitos a serem vencidos, e queria toda a ajuda que fosse possível.

Você pode pensar, como eu pensava, que está se protegendo ao tentar manter o controle, mas na verdade está abrindo a porta para que o diabo destrua todos os seus relacionamentos e coloque sobre você o fardo de um estresse insuportável. Tentar controlar a tudo e a todos é muito estressante. Fiquei aliviada quando finalmente descobri que não tinha de tentar governar o mundo inteiro. Se você tem sido o grande regente de todas as coisas que fazem parte do seu mundo, você precisa se aposentar.

> *Tentar controlar a tudo e a todos é muito estressante.*

Mesmo que você tenha desenvolvido tendências controladoras por ter sido ferido no passado, isto é errado. Você pode ser de uma determinada maneira por causa da dor pela qual passou, mas não permita que isto seja uma desculpa para continuar assim.

Nem todas as pessoas controladoras sofreram abuso no passado. Alguns controladores simplesmente têm personalidade forte e ideias muito definidas sobre como tudo deveria ser feito. Eles são tão firmes nas suas ideias e sentimentos que não são abertos à opinião e pensamento das outras pessoas. Outros são simplesmente egoístas. São pessoas viciadas em conseguirem as coisas do seu jeito, e podem ter desenvolvido o mau hábito de não respeitarem os outros. Talvez não tenham sido corrigidas por estas atitudes negativas quando crianças, ou tenham sido criadas por pais que exibiam características de controle. Seja qual for o motivo, uma coisa é certa: elas não estão andando em amor, e Deus não está satisfeito.

Se você percebe que tem controlado outras pessoas, tome a decisão de deixar que elas sejam livres para tomarem suas próprias decisões. Se você não concordar com as decisões delas, abstenha-se de demonstrar insatisfação. Você poderia dizer: "Respeito o seu direito de escolha; você tem direito a ter sua própria opinião".

Não insista que tudo seja feito do seu jeito. Não se zangue quando as pessoas lhe disserem 'não' ou quando elas parecerem não querer fazer o que você quer. Não dê o "tratamento do silêncio" às pessoas quando elas disserem 'não' ou quando confrontarem você. Não faça com que elas se sintam rejeitadas. Diga a elas que você as respeita e entende que elas precisam ser livres para seguirem o seu próprio coração. Diga a si mesmo seguidamente, repetindo até mesmo em voz alta: "As pessoas têm o direito de fazer suas próprias escolhas e de terem suas próprias opiniões, e devo respeitar o direito delas". Diga isto até que a sua atitude comece a mudar.

Quando eu estava no processo de superar minha tendência controladora, costumava dizer para mim mesma, em silêncio: "Joyce, isto não é assunto seu". Eu fazia isto quando era tentada a me envolver em alguma coisa na qual ninguém havia me convidado a participar. Adoramos dar a nossa opinião e dizer às pessoas o que pensamos, mas a verdade é que a maioria das pessoas nem sequer quer saber o que achamos (Descobri que mesmo quando as pessoas me perguntam o que eu penso, elas geralmente só querem que eu concorde com elas para que se sintam melhor acerca da decisão que tomaram).

Não faça planos para as outras pessoas sem verificar se elas querem fazer o que você tem em mente. Seguir a simples instrução bíblica de tratar os outros do jeito que você quer ser tratado solucionará todos os problemas relativos ao controle (ver Lucas 6:31).

NÃO SEJA EXTREMISTA NA CORREÇÃO DO SEU PROBLEMA

Não é raro, quando descobrimos que temos sido extremistas ou desequilibrados em uma área, passarmos ao extremo oposto, em um esforço para corrigir a situação. Por exemplo, quando Kevin finalmente entendeu que Stephanie o havia controlado durante anos, ele decidiu que ia corrigir a situação. Sua decisão foi boa, mas seus métodos não. Ele passou a ser tão determinado a nunca mais permitir que ela o controlasse novamente, que se tornou excessivamente agressivo para com ela a qualquer momento em que ela aparentava qualquer outra posição que não a de obedecer inteiramente aos desejos dele.

Ore com frequência, use a sabedoria, e seja paciente.

Ao tentar garantir que ela nunca mais o controlaria, ele terminou passando a ser aquilo que ela havia sido.

Eles participaram de sessões de aconselhamento e Stephanie admitiu o seu problema e buscou ajuda sinceramente. Ela precisava ser confrontada, mas Kevin passou a ser inteiramente mau para com ela. Kevin finalmente viu que seus métodos estavam sendo extremistas e que ele estava tentando consertar um problema, mas que, no processo, estava criando outro. Foi necessário algum tempo e esforço, mas, com a ajuda de Deus, eles aprenderam a respeitar um ao outro e a terem um relacionamento equilibrado.

O exagero é o parque de diversões do diabo. A qualquer momento em que nos tornemos exagerados em alguma área, ela se transforma em uma atmosfera na qual Satanás pode trabalhar livremente. Esforce-se para permanecer equilibrado. Se você perceber que tem sido controlado por alguém, precisa definitivamente tomar medidas para reconquistar a sua liberdade, mas não permita que a sua reação seja motivada pela emoção. Ore com frequência, use a sabedoria, e seja paciente. Não passe de alguém que é controlado a alguém que está tão decidido a não se permitir ser controlado novamente a ponto de reagir às pessoas de forma desequilibrada. Do mesmo modo, se você tem sido um controlador, não passe ao extremo oposto achando que jamais deverá demonstrar qualquer tipo de determinação.

Agora que abordamos os passos positivos em direção à nossa libertação do controle negativo, vamos dar uma olhada nas maneiras como podemos usar a dor que experimentamos no passado para fazer uma diferença positiva em nossas vidas e nas vidas de outros.

CAPÍTULO 13

Use a Sua Dor

Não há maneira de passar pela vida sem termos a experiência da dor. Mas ela não precisa ser desperdiçada. Depois de alimentar as multidões, Jesus disse aos Seus discípulos para recolherem as sobras "a fim de que nada se perca nem seja desperdiçado" (João 6:12). O Senhor fará uso de tudo em sua vida, se você permitir. Deixe que a sua dor seja o ganho de alguém. Foi o que Jesus fez.

Jesus suportou uma dor terrível quando estava pregado na cruz pagando pelos pecados do homem. Mas a Sua dor é o nosso dividendo. A Palavra de Deus nos ensina que quando não sabemos como orar como devemos em uma determinada situação, o Espírito Santo vem em nosso auxílio. Ele conhece a vontade do Pai em todas as coisas e intercede em favor de todos os santos de acordo com a vontade de Deus e em harmonia com ela. Portanto, podemos ter certeza e saber que todas as coisas cooperam para o bem daqueles que amam a Deus e que são chamados segundo o Seu propósito (ver Romanos 8:26-28).

Não importa o que aconteça em nossas vidas, se continuarmos orando e confiando em Deus, se continuarmos amando-o e andando na Sua vontade o melhor que pudermos, Ele fará com que todas as coisas cooperem para o bem. O que quer que tenha acontecido conosco no passado pode não ter sido bom em si mesmo, e pode ter ocasionado uma luta pela aceitação e o desejo de aprovação, mas porque Deus é bom, Ele pode pegar algo muito difícil e doloroso e fazer com que isto coopere para o nosso bem e para o bem dos outros.

O único monumento no mundo construído na forma de um besouro – para honrar um besouro – está localizado em Fort Rucker, Alabama. Em 1915, o besouro conhecido como "gorgulho de algodão mexicano" invadiu o sudeste do Alabama e destruiu 60 por cento da colheita de algodão. Desesperados, os fazendeiros passaram a plantar amendoins. Por volta de 1917, a indústria de amendoins havia se tornado tão lucrativa que o município colheu mais amendoins do que qualquer outra região da nação. Como símbolo de sua gratidão, as pessoas da cidade ergueram uma estátua e fizeram uma inscrição com as seguintes palavras: "Em profunda gratidão ao gorgulho do algodão, e ao que ele fez na qualidade de arauto da prosperidade".

O propósito de Deus está além da nossa compreensão.

O instrumento do sofrimento deles havia se tornado o meio para sua bênção.

Deus é um Deus de propósitos. Talvez nem sempre compreendamos os Seus propósitos, mas podemos ter certeza de que Ele definitivamente tem um. Alguma coisa pode nos parecer terrível a princípio, e, no entanto, durante todo o tempo Deus pretende mostrar a Sua glória extraindo algo bom daquilo.

Vemos um exemplo desta verdade no relato bíblico da morte de Lázaro, conforme registrado em João 11:1-44. A Bíblia conta que Lázaro estava doente. Suas irmãs Maria e Marta enviaram um recado a Jesus dizendo: "Está enfermo aquele a quem amas" (v. 3). Quando Jesus recebeu o recado, Ele disse que aquela enfermidade não era para morte, mas ara que Deus fosse glorificado. Em vez de ir até Lázaro e curá-lo, Jesus esperou até que ele morresse. Quando Jesus chegou à cena, Lázaro estava no túmulo havia quatro dias. Jesus levantou Lázaro dos mortos. Ele poderia tê-lo impedido de morrer, mas permitiu que Ele morresse para que as pessoas pudessem ver o poder de Deus de operar milagres e saber que para Ele nada é demasiadamente difícil.

Deus é um Deus de propósitos.

Às vezes nos perguntamos por que Deus espera tanto para vir em nosso auxílio, ou por que Ele permite que certas coisas aconteçam. Nem sempre podemos entender o que Deus está fazendo, ou por que Ele o está fazendo, mas se confiarmos nele, Ele fará algo maravilhoso resultar daquilo.

FERIDO! CURADO! E PRONTO PARA SOCORRER!

José era um homem que havia sido ferido por seus irmãos. Sabemos, de acordo com a leitura da Palavra de Deus, que os irmãos de José tinham ciúmes dele. Eles o odiavam porque seu pai o favorecia. Eles o venderam como escravo, e disseram a seu pai que animais selvagens o haviam matado. Ele foi levado ao Egito, onde passou treze anos na prisão por um crime que não cometera (ver Gênesis 37-41).

Mas Deus era com José, e ele era capaz de interpretar sonhos. Faraó, o governante de todo o Egito, teve um sonho e José interpretou-o, e foi solto. Ele passou a trabalhar para Faraó, e mais uma vez foi colocado no comando de tudo. Durante um período de extrema fome, José estava na posição que lhe permitiu salvar multidões de pessoas, inclusive seu pai e seus irmãos, que o haviam tratado tão cruelmente.

Esta é uma das estórias mais encorajadoras da Bíblia. Vemos o poder de uma atitude positiva durante tempos de dificuldades. Vemos que Deus pode nos favorecer, não importa onde estejamos. Vemos o poder do perdão quando José dispôs-se a alimentar seus irmãos que o haviam ferido tão profundamente. A Bíblia diz que os caminhos de Deus estão além da nossa compreensão (ver Romanos 11:33). Talvez jamais possamos compreender, mas podemos confiar.

José havia sido ferido, mas ele foi curado, e estava pronto para socorrer. As suas lutas haviam feito dele um homem melhor, e não um homem amargo. Pense em como a vida dele poderia ter sido diferente se José tivesse se recusado a manter uma atitude piedosa durante todo o tempo de sua dolorosa experiência.

Tenho certeza de que Ester sofreu quando sua vida e seus planos foram interrompidos, e ela foi levada para o harém do rei, o que não era algo que agradaria a uma jovem judia solteira. Quando lemos sobre as pessoas na Bíblia, e sobre as coisas que elas sofreram, nem sempre pensamos nas emoções que elas devem ter experimentado. Lemos suas estórias quase como se fossem personagens fictícios, mas elas foram pessoas reais como você e eu. Elas passaram pelas mesmas emoções que nós passaríamos em uma situação semelhante.

O marido de Rute morreu. Tenho certeza de que isto a fez sofrer terrivelmente. Ela sem dúvida estava se sentido só, mas optou por cuidar de sua sogra, uma mulher idosa chamada Noemi, a quem ela acompanhou até sua distante terra natal. Quando chegaram lá, elas tinham muito poucos recursos, e assim Rute teve de catar espigas nos campos para que tivessem o que comer. Ela terminou por se casar com um homem chamado Boaz, que era muito rico. Em consequência, Rute e Noemi receberam tudo de que necessitavam. Além disso, dando filhos a Boaz, Rute tornou-se parte da linhagem ancestral de Jesus (Ver o livro de Rute e Mateus 1:5).

Talvez jamais possamos compreender, mas podemos confiar.

O ponto onde quero chegar ao recontar estas estórias é o de que todas essas pessoas, e muitas outras que não tenho tempo de mencionar, sofreram, receberam cura, e seguiram em frente para socorrer outras.

Você foi ferido por alguém ou por alguma coisa? Se foi, pode fazer a mesma escolha que estas pessoas fizeram. Não desperdice sua vida com ira e amargura – não permita que a sua dor emocional o aprisione em uma luta eterna por aprovação. Receba a cura e o consolo de Deus, e depois siga em frente para socorrer a outros. Não desperdice a sua dor.

Durante a Segunda Guerra Mundial, Corrie ten Boom e sua irmã foram mantidas em um horrível campo de concentração chamado Ravensbruck. Elas viram e sofreram tormentos terríveis, inclusive inanição e nudez, em temperaturas abaixo de zero. Betsie, a irmã de Corrie, morreu de inanição. Durante o tempo em que ficaram ali, no entanto, elas continuamente encorajavam as outras prisioneiras. Elas mantinham uma atitude de louvor, e finalmente Corrie foi libertada do campo de concentração devido a um erro em um documento.

Depois de sua libertação, ela viajou o mundo inteiro contando sobre suas experiências e a fidelidade de Deus. Seu ministério certamente tornou-se mais poderoso e eficaz do que teria sido sem suas lutas e sofrimentos. Sua vida e ministério foram um consolo para milhões de vidas.

Certa noite, depois de pregar na Alemanha sobre o perdão de Deus e sobre como nenhum pecado é grande demais para que Deus possa perdoá-lo, de repente ela reconheceu um homem vindo em sua direção. Ele havia sido um dos guardas em Ravensbruck, e uma das pessoas que haviam torturado os prisioneiros. O homem não reconheceu Corrie, mas disse que a ouviu mencionar que havia sido prisioneira em Ravensbruck. Ele disse: "Fui guarda ali, mas desde então me tornei um cristão. Sei que Deus me perdoou pelas coisas terríveis que fiz, mas quero pedir-lhe que me perdoe também".

Não desperdice sua vida com ira e amargura.

Corrie disse que imediatamente viu sua amada irmã lentamente morrendo de fome, e sentiu naquele instante que ainda que ela precisasse de perdão todos os dias, não poderia perdoar aquele homem. Ali diante dele, ela sabia que precisava perdoá-lo, embora não soubesse como fazê-lo. Tudo que ela pregava aos outros seria inútil se ela não pudesse perdoar. Corrie disse que sabia que aquilo teria de ser um ato da sua vontade, porque nada em suas emoções queria fazer aquilo. Naquele momento, ela disse a Deus: "Posso estender minha mão, é o máximo que posso fazer, mas Tu terás de fazer o resto. Tu precisas me dar os sentimentos". Ao segurar rigidamente a mão daquele homem, ela disse que o poder de Deus percorreu todo o seu ser, e ela pôde dizer de todo o coração: "Eu o perdôo, irmão!" "De todo meu coração, eu o perdôo". Ela disse que nunca conheceu o amor de Deus tão intensamente quanto naquele instante.

Embora Corrie tivesse sido profundamente ferida, ela permitiu que Deus a curasse, e seguiu em frente para socorrer a outros [1].

Como mencionei, sofri abusos e fui profundamente ferida. Quando era jovem, no início dos meus vinte e poucos anos, eu não conseguia me lembrar de ter sido feliz ou de me sentir realmente segura. Passei muitos anos irada, amargurada e com ressentimentos. Sou grata por ter aprendido a receber o consolo e a cura de Deus e por ser agora capaz de ajudar outras pessoas.

DEUS ESTÁ À PROCURA DE AJUDA EXPERIENTE!

Você já precisou de um emprego, mas todo anúncio de emprego que você lia pedia alguém com experiência? Você queria um emprego, mas não tinha nenhuma experiência, e isso o deixava frustrado. Já passei por esta situação, e me lembro de ter pensado: "Como posso adquirir experiência se ninguém quer me dar um emprego?"

Deus também quer ajuda experiente. Quando formos trabalhar para Deus no Seu Reino, Ele usará todas as coisas do nosso passado, independente do quanto elas possam ser dolorosas. Ele leva em conta a nossa experiência. Passamos por alguns momentos difíceis, e estas coisas nos qualificam para ajudarmos alguém a passar por elas também. Até mesmo Jesus ganhou experiência por meio das coisas que sofreu:

> Embora sendo Filho, aprendeu a obediência [ativa, especial] pelas coisas que sofreu, e, tendo sido aperfeiçoado [por Sua completa experiência], tornou-Se o Autor da salvação eterna para todos os que lhe obedecem. (Hebreus 5:8-9, AMP)

Como eu poderia estar escrevendo este livro agora mesmo se não tivesse passado por alguns momentos difíceis e adquirido uma experiência valiosa? Como eu poderia ensinar aos outros a perdoarem aqueles que os feriram se eu não tivesse primeiro tido a experiência de perdoar aqueles que me feriram?

Encorajo você a olhar a sua dor de um ponto de vista diferente. Uma perspectiva correta pode fazer toda a diferença do mundo. Dê uma olhada no modo como você pode usar a sua dor em benefício de outras pessoas. O seu caos pode vir a ser o seu ministério? Talvez você tenha passado por tantas coisas que sente que possui experiência suficiente para ser um especialista em alguma área. Sou uma especialista em superar a vergonha, a culpa, a autoimagem negativa, a falta de confiança, o medo, a ira, a amargura, a autocomiseração, etc. Deixe a sua dor para trás e obtenha o seu "mestrado" de modo

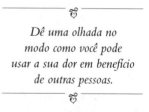

Dê uma olhada no modo como você pode usar a sua dor em benefício de outras pessoas.

que possa trabalhar no Reino para Aquele que é Mestre em restaurar pessoas feridas.

O SEGREDO MAIS BEM GUARDADO

> Não te deixes vencer do mal, mas vence o mal com o bem.
> (Romanos 12:21)

Vencemos o mal com o bem. Creio que esta verdade é uma das armas mais poderosas que possuímos, e o segredo mais bem guardado. Deus quer que todos saibam disso, mas Satanás nos mantém tão entrincheirados nos nossos problemas e na nossa dor individual que poucos de nós chegam a entender essa dinâmica. Podemos nos vingar de Satanás pelos sofrimentos que ele trouxe às nossas vidas sendo bons para com os outros. Nós o vencemos (o mal) sendo bons para com as outras pessoas. Na verdade, é Deus que vence Satanás quando permitimos que Ele opere o Seu bem através de nós. Satanás quer usar a nossa dor para nos destruir, mas nós destruímos o seu plano fazendo o oposto ao que ele espera.

Sermos bons para alguém não apenas derrota Satanás, como também libera a alegria em nossas vidas. Historicamente, as pessoas que foram feridas por alguém frequentemente sofrem de depressão. Creio que isto em parte se deve ao fato de que a atenção delas está voltada para a sua própria dor em vez de para o que elas podem fazer para aliviar a dor de alguém. Deus não nos chamou para sermos introvertidos, Ele nos chamou para estendermos a mão para ajudar. Quando fazemos isso, Deus estende a mão para dentro de nossas almas e nos cura. Ele é o único que pode curar aquele que tem o coração partido e transformar o ferido em alguém mais do que novo.

Chamo este princípio de "vencer o mal com o bem" de um segredo, porque tão poucos de nós parecem conhecê-lo ou segui-lo. Quando estamos sofrendo, nossa tendência natural é bancarmos a ama-seca das nossas feridas. Podemos querer nos isolar e pensar na forma lamentável como fomos tratados. Descobri que quando estou sofrendo, a melhor coisa que posso fazer é continuar me movendo. Quando estou sofrendo, simplesmente continuo fazendo o que estaria fazendo se não estivesse sofrendo. Vou trabalhar, estudo, oro, saio e prego, cumpro meus compromissos. Continuo fazendo as coisas boas que Deus me deu para fazer, e confio que Ele cuidará das coisas más.

Você está entendendo? Você pode vencer o mal com o bem assim como a Bíblia diz em Romanos 12:21. Entender este princípio foi algo que literalmente mudou a minha vida, e acredito que pode mudar a sua também.

O NOSSO MODO DE PENSAR ESTÁ TOTALMENTE ERRADO

Nossa filha Sandra contou-nos que estava sentindo medo de encontrar-se com uma determinada pessoa porque aquela pessoa não havia sido muito agradável com ela no passado. Enquanto ela se debatia com pensamentos negativos sobre o futuro encontro, Deus falou ao seu coração e disse: "Você não precisa se preocupar com o modo como os outros a tratam; a sua preocupação deve ser a forma como você as trata".

Esta mensagem exerceu um forte impacto sobre a vida de Sandra, assim como sobre a minha. Como ela é verdadeira! Estamos tão preocupados com o modo como estamos sendo tratados que não nos preocupamos (ou nos preocupamos pouco) com a forma como tratamos os outros. Temos medo de que tirem vantagem de nós, principalmente se a nossa experiência com alguém no passado tiver sido dolorosa. O medo e o pavor que sentimos provavelmente nos tornam hipersensíveis a tudo que é dito ou feito. Podemos até interpretar mal as coisas e vê-las de modo negativo por causa das nossas expectativas. Aquilo que tememos realmente nos sobrevém, de acordo com a Palavra de Deus (Jó 3:25).

Concordo que é difícil não se preocupar com a possibilidade das pessoas nos tratarem mal, principalmente se elas tiverem agido assim no passado. É por isso que é tão importante não pensarmos nisso de modo algum. Devemos depositar a nossa vida em Deus e confiar que Ele cuidará de nós (ver 1 Pedro 4:19). Ele é o nosso Vingador (ver Jó 19:25), e desde que nos portemos da forma adequada para com os outros, inclusive para com os nossos inimigos, Deus nos recompensará.

Por causa do que Deus disse ao coração de Sandra, ela entrou naquela reunião com uma atitude inteiramente diferente. Ela se concentrou em ser gentil para com a pessoa que anteriormente não havia sido gentil com ela, esforçou-se para ser animadora e para demonstrar interesse no que interessava a ela. Depois Sandra me contou que o resultado foi surpreendente. Ela passou vários dias com a pessoa em questão, e não se sentiu maltratada de forma alguma, nem por um instante.

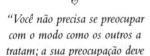

"Você não precisa se preocupar com o modo como os outros a tratam; a sua preocupação deve ser a forma como você as trata."

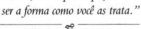

A Bíblia diz que devemos ser "atentos" para sermos uma bênção (ver Gálatas 6:10). Isso significa que devemos manter nossa mente cheia de formas pelas quais podemos ajudar aos outros. Quando as nossas mentes estão cheias de formas pelas quais podemos ser uma bênção, não temos tempo de nos prender aos nossos problemas pessoais. Isto dá a Deus a oportunidade de trabalhar neles para nós.

DÊ AOS OUTROS O QUE VOCÊ DESEJA PARA SI

O que você quer? Se é aprovação, então dê sua aprovação a outros. Faça um esforço especial para que as pessoas se sintam valorizadas e amadas. Seja enfático quando concordar com alguém. Geralmente ficamos mudos quando concordamos e nos expressamos quando discordamos. Vejo que a palavra "concordo" dá confiança às pessoas. Se tenho uma opinião ou ideia sobre alguma coisa, o meu nível de confiança realmente sobe quando meu marido diz: "Concordo". Não espero que ele concorde comigo em tudo, mas quando ele o faz, é muito bom ouvir isso. Creio que saber quando as pessoas concordam conosco nos ajuda a lidar melhor com as situações em que elas não concordam.

Se você quer elogios, passe a elogiar.

Se você quer elogios, passe a elogiar. Todas as vezes que você pensar algo de bom sobre alguém, verbalize isso. As pessoas não podem ler a sua mente; os seus pensamentos têm poder e podem afetar o grau de confiança delas de uma forma menor, mas as suas palavras podem realmente levantá-las e encorajá-las.

Todas as pessoas precisam de afirmação, principalmente aquelas que foram feridas emocionalmente por alguém. Temos mais poder do que imaginamos. Realmente podemos ajudar as pessoas! As palavras certas ditas na hora certa têm o poder de curar: "O homem se alegra em dar resposta adequada, e a palavra, a seu tempo, quão boa é!" (Provérbios 15:23).

As palavras certas, ditas no momento certo não apenas são boas para os outros, como também são boas para nós. Sentimos alegria quando edificamos os outros. Fomos criados por Deus para sermos uma bênção. Ele disse a Abraão: "Eu te abençoarei. Sê tu uma bênção!" (ver Gênesis 12:1-3). Somos abençoados em sermos uma bênção.

Deus criou você para ser uma bênção. Comece a ser aquilo que você foi feito para ser, e você começará a receber o que está destinado a receber!

"PRECISO DE CURA"

Você pode estar pensando: "Fui ferido, e quero ajudar os outros, mas preciso de cura". Utilizei anteriormente esta afirmação: "Ferido! Curado! E pronto para socorrer!" A cura é muito necessária. Há muitas pessoas no ministério que estão tentando curar outras, enquanto elas mesmas estão feridas. Chamo essas pessoas de "feridos que curam". Muitas pessoas se escondem dos seus próprios problemas enquanto tentam revelar os problemas dos outros. Um cego não pode guiar outro cego – se ele tentar fazer isso, ambos cairão em uma vala (ver Mateus 15:14). Tentar ajudar as pessoas enquanto ignoramos os nossos próprios problemas nunca gera bons frutos para ninguém.

Como a cura vem? Sabemos que fomos feridos. Temos a visão de ajudar aos outros. Mas como a nossa própria cura vem? Precisamos da ajuda do Grande Médico. Precisamos da Sua presença em nossas vidas. Passar tempo com Deus é a coisa mais vital que podemos fazer, principalmente quando fomos feridos.

Precisamos dedicar tempo à leitura e estudo da Palavra de Deus, porque ela tem o poder inerente para curar. A Bíblia diz que devemos nos ocupar com a Palavra de Deus porque ela traz saúde e cura a toda a nossa carne (ver Provérbios 4:20-22). Nossas emoções e nossa mente são parte do que a Bíblia chama de "carne". De acordo com o Salmo 119:130, a Palavra de Deus traz luz, que é algo que muitos de nós estamos sentindo falta. Nem sempre vemos o que precisamos fazer. Geralmente nem vemos os nossos próprios problemas. Achamos que todos têm um problema, e se todos os outros mudassem, tudo ficaria bem. Precisamos da luz de Deus para entendermos a nós mesmos.

Quando comecei a minha jornada de cura com Deus, o Seu Espírito Santo começou a me conduzir à verdade. A verdade é uma outra forma de descrever a luz. Havia muitas coisas que eu não entendia. Eu não entendia porque me sentia de determinada maneira em certas situações ou quanto a certos tipos de pessoas. A minha falta de luz trouxe confusão à minha vida. Ela contribuiu para os meus sentimentos negativos com relação a mim mesma. Eu não gostava de muitas coisas em mim, mas não podia fazer nada a respeito porque estava em trevas. Eu me sentia aprisionada! Não gostava das coisas que fazia; não as entendia, mas continuava praticando-as.

Nunca gostei de homens que tivessem uma personalidade forte, o que é muito engraçado porque eu própria tenho uma personalidade muito forte. Quando Deus trouxe luz à minha vida, comecei a perceber que eu ficava desconfortável perto de uma figura de autoridade masculina forte porque meu pai, que havia cometido abuso contra mim, tinha uma personalidade forte. Eu estava reagindo às personalidades dos outros homens da mesma forma que reagiria à personalidade do meu pai. Eu sempre me sentia desconfortável quando estava perto de meu pai, e assim, me sentia desconfortável quando estava por perto de qualquer pessoa que era como ele.

A luz que Deus me deu ajudou-me muito nos relacionamentos. Em primeiro lugar, parei de rejeitar as pessoas simplesmente porque eram homens e tinham personalidade forte. Antes, preferia estar perto de pessoas que me permitissem ficar no comando; eu tinha de estar no controle para me sentir confortável. Por quê? Quando Deus trouxe luz à minha vida, comecei a perceber que era porque eu tinha *medo* de permitir que qualquer outra pessoa estivesse no comando. Eu não confiava que elas tivessem qualquer tipo de preocupação quanto à minha felicidade.

Precisamos da luz de Deus para entendermos a nós mesmos.

Eu não era uma pessoa má como o diabo havia tentado me fazer acreditar; eu apenas estava com medo. Havia desenvolvido um sistema complexo de formas de me proteger e de cuidar de mim mesma. Sabia como manipular quase toda situação para garantir que ninguém se aproveitasse de mim. Mas eu estava cansada de tentar me proteger e cuidar de mim mesma o tempo todo. Dizia que queria que alguém cuidasse de mim, mas quando alguém tentava fazer isso, eu não o permitia. Eu não permitia nem mesmo que Deus cuidasse de mim. Mas a Sua luz me libertou. Pouco a pouco, Ele me mostrou as coisas que abriram meus olhos e meu coração, permitindo a mudança.

Toda cura é um processo que requer tempo, principalmente a cura emocional. Não é nada fácil. Às vezes é bastante doloroso. Às vezes as pessoas têm feridas que ainda estão infeccionadas. A ferida precisa ser aberta e a infecção retirada antes que elas possam ser curadas de forma adequada. Só Deus sabe como fazer isto e como fazê-lo da forma certa. Passar tempo com Deus na Sua Palavra e na Sua presença são os dois ingredientes principais para alguém ser curado depois de ter sido ferido.

AJUDE ALGUÉM INTENCIONALMENTE

Enquanto você está deixando que Deus trabalhe na sua vida, use a sua dor. Esteja determinado a ajudar outros. Não espere para ter vontade de fazer isso. Não espere algum sinal sobrenatural de que Deus quer usar você. Apenas comece. Deus usará você no seu mundo, com as pessoas que estão ao seu redor, na sua vida diária. Aquilo que você fizer acontecer na vida de alguém, Deus fará acontecer na sua vida. Cada semente que você planta na vida de alguém representa uma colheita que você colherá na sua própria vida – principalmente na sua busca por superar o vício da aprovação.

Não desperdice a sua dor. Permita que ela seja a benção para alguém!

CONCLUSÃO

Vivendo uma Vida Completa em Cristo

Sentir que algo está faltando em nossa vida e não saber o que é nos deixa frustrados e vivendo em uma busca contínua. Nós nos tornamos como as pessoas de quem Deus falou em Jeremias 2:13: "aqueles que cavavam poços vazios que não continham água". Experimentamos uma coisa, depois outra, mas nada sacia a nossa sede daquilo que está faltando em nossas vidas.

Podemos descrever nossos sentimentos como o de estarmos incompletos, porém a Bíblia diz que somos completos em Jesus:

> Assim como em Cristo, estais aperfeiçoados (completos). Ele é o cabeça de todo poder e autoridade. (Colossenses 20:10, KJV)

> E vocês estão nele, aperfeiçoados e tendo chegado à plenitude de vida [em Cristo vocês também estão cheios da Divindade – Pai, filho e Espírito Santo – e atingiram a completa estatura espiritual]. E Ele é o Cabeça de todo

governo e autoridade [de todo principado e potestade angelical]. (Colossenses 2:10, AMP)

Ser completo (ou aperfeiçoado) significa ser satisfeito, cheio, seguro. Sem Cristo, as pessoas estão sempre buscando, procurando alguma coisa. Elas se sentem incompletas. O mais triste é que a maioria das pessoas não sabe que Jesus Cristo é o que elas estão procurando, e assim, tentam encher esse vazio em suas vidas com todo tipo de outras coisas.

Todos queremos nos sentir satisfeitos. Todos queremos ter contentamento. Todos queremos saber que somos amados e aceitos por quem somos. Podemos achar que a aceitação e a aprovação das pessoas farão com que nos sintamos completos. No entanto, a Bíblia nos ensina que quando confiamos no homem para nos dar o que somente Deus pode nos dar, vivemos debaixo de maldição; mas quando cremos, confiamos e dependemos do Senhor, somos abençoados (ver Jeremias 17:5-8). A alegria, a paz e a realização que buscamos vêm de sermos cheios de Deus, e nada mais. Essas coisas não vêm pelo fato de termos uma determinada pessoa em nossa vida, ou de termos dinheiro, posição, poder, fama, realizações, ou qualquer outra coisa. Você finalmente chegará à mesma conclusão que todos nós chegamos. Você admitirá que é um fracasso como pessoa, que nada do que tentou fazer lhe deu o que desejava – um senso de realização e de plenitude. Leia o livro de Eclesiastes, que foi escrito por Salomão. Ele era um homem que experimentou literalmente tudo para descobrir este tipo de realização e satisfação interior profunda. Nada do que ele experimentou funcionou, até que ele voltou ao ponto

> *Quando cremos, confiamos e dependemos do Senhor, somos abençoados.*

de partida e entendeu que o que realmente queria havia estado disponível a ele o tempo todo. Ele queria Deus!

Salomão começou a sua caminhada com Deus, mas se desviou. Ele experimentou encontrar a satisfação nas mulheres, no dinheiro, na fama, no poder, no trabalho, nas realizações, no sucesso, etc. Nada funcionou! Veja algumas das coisas que ele disse:

> Vaidade de vaidades, diz o Pregador; vaidade de vaidades, tudo é vaidade.
>
> Que proveito tem o homem de todo o seu trabalho, com que se afadiga debaixo do sol? (Eclesiastes 1:2-3).
>
> Atentei para todas as obras que se fazem debaixo do sol, e eis que tudo era vaidade e correr atrás do vento. (Eclesiastes 1:14).

Gosto do modo como Salomão disse isto. Tentar encontrar realização em qualquer coisa que o mundo tem a oferecer é como correr atrás do vento. Não importa com que esforço corramos atrás dele, ele sempre foge de nós. Não importa a velocidade com que corramos, nunca conseguimos agarrar o que buscamos. Você consegue se imaginar correndo atrás do vento, e o quanto isso seria frustrante?

Depois de uma vida experimentando tudo o que o mundo tinha a oferecer, Salomão finalmente concluiu que a única coisa que fazia qualquer sentido era Deus. Ele percebeu que ninguém pode encontrar nenhuma alegria duradoura separado dele. Salomão disse que o que havia aprendido com toda a sua busca foi:

"Teme a Deus [reverencia-o e adora-o, sabendo que Ele existe] e guarda os Seus mandamentos; porque isto é o dever de todo homem [o pleno propósito original da sua criação, o objeto da providência de Deus, a raiz do caráter, o fundamento de toda felicidade, a adaptação a todas as circunstâncias e situações antagônicas existentes sob o sol]".
(Eclesiastes 12:13, AMP)

PUBLICIDADE MUNDANA

A publicidade é parte importante da nossa cultura. Dar um passeio de carro por uma estrada é como passar por uma enciclopédia de informações. Em nossa vida diária, somos bombardeados com cartazes, comerciais na televisão e no rádio, anúncios em todas as revistas e jornais e nas laterais dos táxis e dos ônibus. Todos eles nos dizem de uma forma ou outra que *precisamos* daquilo que eles estão vendendo.

"Compre este creme, e as suas rugas desaparecerão". Será que a verdadeira mensagem não está dizendo que se você comprar aquele produto em particular e usá-lo, você se tornará aceito? A mensagem é que se você tiver uma aparência melhor, as pessoas o aceitarão.

"Compre este carro, e você será notado e admirado".

"Use este perfume, e todo homem sentirá atração por você".

"Coma esta comida, e você ficará inteiramente satisfeito".

"Tome esta pílula, e você perderá peso". Afinal, se você fosse um pouco mais magra, não seria rejeitada.

É hora de acordar! Tudo isto é mentira! Pode haver produtos bons no mundo que você queira comprar e experimentar, mas eles definitivamente não lhe darão essa sensação definitiva de realização.

O mundo está afundado em dívidas e continua se afundando cada vez mais, sempre tentando comprar o que Deus oferece de graça: aceitação, amor, aprovação, valor, mérito, alegria, paz, realização! Uma casa maior não fará com que você se sinta completo; você apenas terá mais espaço para limpar. O modelo mais novo de automóvel também não fará isso; você só terá pagamentos maiores a fazer. A promoção no trabalho não é a resposta; você só terá mais responsabilidades e provavelmente terá de trabalhar por mais horas. Ah, sim, você também poderá ganhar mais; mas na hora de pagar os impostos e de ter de comprar todas as coisas que precisará para manter a sua nova imagem, você verá que não sobrará muita coisa de qualquer jeito.

O mundo está afundado em dívidas e continua se afundando cada vez mais.

Vá em frente e dê algumas voltas em torno da pista de corrida do sistema do mundo, e você estará dizendo como Salomão: "Vaidade de vaidades, tudo é vaidade!"

ACEITE A CRISTO

Se você nunca aceitou Jesus Cristo como seu Salvador, esta é uma boa hora para começar. Mas até mesmo isto não consertará tudo em você e na sua vida a não ser que você também o aceite como o seu Senhor.

Durante muitos anos, eu tive o suficiente de Jesus para garantir que estaria livre do inferno, mas não tinha o suficiente para andar em vitória. Eu o recebi como o meu passaporte para o céu, mas precisava dele como o meu *tudo*. Achava que precisava de Jesus *mais* aprovação, dinheiro, posição, coisas. Não é assim. Jesus quer ser tudo para nós. Ele não faz nada pela metade. Ele nunca estará satisfeito com um pequeno canto da nossa vida. Ele quer governar toda a casa. Como crentes em Jesus, somos a Sua casa, e nada deve ficar inacessível a Ele.

Levei muitos anos correndo atrás de coisas até finalmente descobrir que eu tinha tudo de que precisava o tempo todo. Eu era completa em Jesus Cristo (ver Colossenses 2:10). Tudo que eu precisava era crer nisso!

Ao chegar ao final deste livro, é meu desejo deixar você se sentindo completo, satisfeito e realizado. Não quero que você se sinta vazio e continue procurando por alguma coisa para preencher o vazio que só aumentará a dor que você pode já estar sentindo.

Você precisa saber quem é em Jesus. Você precisa entender que a sua justiça (a sua posição correta diante de Deus) está somente em Cristo. *Tudo* que você precisa está disponível a você. A única coisa que precisa fazer é receber pela fé o que Jesus já providenciou para você.

Deixe a fé comandar, e os sentimentos a seguirão. Primeiramente, você precisa acreditar que Deus o ama; você afirma isto a si mesmo diariamente meditando nisto e falando sobre isto. Os seus sentimentos depois seguirão a ideia. Comece a crer que você se tornou aceitável em Jesus. Peça a Ele para favorecê-lo dando-lhe as pessoas certas, e não se preocupe com todos os outros que parecem não valorizar você. Eles estão perdendo algo, porque na verdade você é uma pessoa maravilhosa, e um relacionamento com você é algo que deve ser desejado com entusiasmo!

UM CASO DE ERRO DE IDENTIDADE

Os anos passados em uma prisão emocional de tormento mental podem ser resultado de um simples caso de erro de identidade. Tive um tio que realmente passou vinte anos na prisão por algo que não havia feito. Ele foi condenado por um erro de identidade. Imagine todo aquele tempo e potencial desperdiçado!

Você está fazendo o mesmo? Se não sabe quem realmente é, a pessoa tremenda que Deus o criou para ser, se o seu é um caso de erro de identidade, você pode deixar que o mundo o condene ao isolamento, ao medo, ao controle e à manipulação, à rejeição a si mesmo, e a muitas outras coisas desagradáveis.

A nossa identidade se estabelece como resultado de quem e do que escolhemos para nos identificarmos.

A nossa identidade se estabelece como resultado de quem e do que escolhemos para nos identificarmos. A palavra *identificar* significa estabelecer a identidade e as características de algo ou de alguém por identificação, principalmente com relação aos outros. Se nos identificamos com as pessoas e com o que elas dizem a nosso respeito, acabaremos tendo problemas; mas se nos identificarmos com Jesus e com a Sua opinião a nosso respeito, não teremos mais crises de identidade.

As pessoas com quem Jesus lidava perguntaram-lhe quem Ele achava que era. Elas ficaram furiosas porque Ele dizia ser o Filho de Deus. Elas o acusaram de blasfêmia. Jesus disse que Ele sabia quem era porque sabia de onde havia vindo e para onde estava indo:

> Respondeu Jesus e disse: "Posto que eu testifico de mim mesmo, o meu testemunho é verdadeiro, porque sei donde vim e para onde vou; mas vós não sabeis donde venho, nem para onde vou". (João 8:14)

A confiança dele enfurecia as pessoas. Ele sabia quem era (ver João 8:12). Independente do que as pessoas dissessem a respeito de Jesus, Ele não se identificava com aquilo. Ele se identificava com o que o Seu Pai celestial dizia a Seu respeito. Ele se identificava com Deus!

A identificação com Cristo é um fundamento doutrinário da fé cristã. Este fundamento não é ensinado com a frequência e na forma integral que deveria. Algumas organizações religiosas dedicaram tempo demais dizendo às pessoas o que elas precisam fazer, e tempo de menos em dizer a elas quem são em Cristo.

Precisamos ser ensinados a nos identificarmos com Jesus, não com as pessoas que nos rejeitam e que nos julgam de uma forma crítica. Você pertence a Deus! Saber disto lhe dará confiança para caminhar neste mundo de cabeça erguida. Você será capaz de seguir o seu próprio coração e não ser negativamente afetado quando as pessoas não concordarem com você ou com as suas escolhas.

De agora em diante, quando as pessoas disserem algo negativo a seu respeito, reaja dizendo a si mesmo, ou a elas, se for o caso: "Não me identifico com isto".

Veja-se como alguém completo em Cristo. Você se sentirá relaxado. Você se sentirá encorajado a seguir em frente em direção ao que já sabe que lhe pertence, mas sem se sentir pressionado. Se uma pessoa sabe que tem dinheiro no banco, e ela deseja retirar uma parte desse dinheiro, entra no carro e se dirige ao banco; ela não se sente nem um pouco pressionada, porque já sabe que o que precisa está lá e lhe pertence.

Se você conseguir entender a crer no que estou dizendo, deixará de sentir que está sempre *precisando* de alguma coisa. O anseio do seu coração será satisfeito com o conhecimento de que você já tem a aceitação de Deus. E o que é mais importante, você não *precisará* mais da aprovação das pessoas para se sentir completo. Os viciados em aprovação só podem ser libertos da necessidade de aprovação sabendo que Deus já os aprova e entendendo que a aprovação dele os torna completos! Não temos de nos esforçar para ficarmos bem com as pessoas se já sabemos que estamos bem com Deus. Sabemos que precisamos crescer e continuar mudando à medida que Deus trabalha em nós, mas não temos de ficar angustiados com relação ao estado em que estamos agora enquanto estamos progredindo. Como sempre digo, "Não estou como deveria estar, mas graças a Deus porque não estou mais como estava. Estou bem, e estou a caminho!"

> *Jesus deseja que você se sinta íntegro, completo e satisfeito.*

Jesus deseja que você se sinta íntegro, completo e satisfeito. Ele não quer que você fique atormentado com a reprovação das pessoas, mas quer que você se alegre com a aprovação dele. Ele ama você! Você é uma pessoa especial, única, e Ele tem um plano maravilhoso para a sua vida. Não permita que as pessoas ou o diabo roubem isso de você. Tire os olhos de tudo que o distraia de Jesus, que é o Autor e Consumador da sua fé (ver Hebreus 12:2).

Medite na sua posição em Cristo de acordo com a Palavra de Deus, não de acordo com o que as pessoas acham e dizem a seu respeito. Lembre-se que as pessoas tinham coisas horríveis a dizer sobre Jesus, e elas O rejeitaram, mas a Bíblia diz: "A pedra que os construtores rejeitaram, essa veio a ser a principal pedra, angular" (Salmos 118:22).

Muitos de meus antigos críticos se candidataram para trabalhar em minha equipe. Um homem na verdade disse: "Se eu soubesse como viria a ser o seu futuro, eu a teria tratado melhor quando você era ninguém".

Creio que Deus está fazendo algo maravilhoso em você e continuará a fazer algo maravilhoso através de você. Seus críticos podem viver para ver o dia em que eles desejarão tê-lo tratado melhor enquanto você ainda estava no processo de "se tornar" tudo o que Deus quer que você seja.

Viva para agradar a Deus, e não às pessoas. Você tem a aprovação dele, e isto é tudo de que precisa!

NOTAS

Capítulo 1

1. Confessar a Palavra de Deus em voz alta terá um profundo efeito positivo em sua vida. Recomendo que você leia meu livro *The Secret Power of Confessing God's Word* (Nashville, TN: Warner faith, 2004).

2. Failing Forward, de John Maxwell (Nashville, TN: Nelson Books, 2000, 53).

Capítulo 4

1. Extraído de diversas fontes, inclusive http://em.wikipedia.org/wiki/Kleenex.

2. Extraído de várias fontes, inclusive *Pivotal Praying*, de John Hull e Tim Elmore (Nashville, TN: Nelson Books, 2002).

Capítulo 6

1. *The Mask Behind the Mask*, de Peter Evans (London: Frewin, 1969).

Capítulo 7

1. *A Barrel of Fun*, de J. John e Mark Stibbe (West Sussex, England: Monarch, 2004), 76-77.

2. *Man's Search for Meaning*, de Viktor E. Frankl, (New York: Washington Square Press, Simon & Schuster, 1963).

Capítulo 8

1. A história de Christine Caine, usada mediante permissão. Para ter acesso à história na íntegra, leia *A Life Unleashed* (Nashville, TN: Warner Faith, 2004).

2. Extraído de http://www.cybernation.com/victory/quotations/authors/quotes_dyer_wayne.html.

3. Watchman Nee é citado ao dizer que "A emoção pode ser denominada como o inimigo mais famoso da vida de um cristão espiritual" (O Homem Espiritual [Editora Betânia, 1990], 190-191).

Capítulo 11

1. *Over the Top*, de Zig Ziglar (Nashville, TN: Nelson Bookls, 1997).

Capítulo 13

1. Corrie ten Boom, Not Good if Detached (Grand Rapids, MI: Revell, 1999).

Sobre a Autora

Joyce Meyer é uma das líderes no ensino prático da Bíblia no mundo. Renomada autora de *best-sellers* pelo *New York Times*, seus livros ajudaram milhões de pessoas a encontrarem esperança e restauração através de Jesus Cristo.

Através dos *Ministérios Joyce Meyer*, ela ensina sobre centenas de assuntos, é autora de mais de 80 livros e realiza aproximadamente quinze conferências por ano. Até hoje, mais de doze milhões de seus livros foram distribuídos mundialmente, e em 2007 mais de três milhões de cópias foram vendidas. Joyce também tem um programa de TV e de rádio, *Desfrutando a Vida Diária*®, o qual é transmitido mundialmente para uma audiência potencial de três bilhões de pessoas. Acesse seus programas a qualquer hora no site www.joycemeyer.com.br

Após ter sofrido abuso sexual quando criança e a dor de um primeiro casamento emocionalmente abusivo, Joyce descobriu a liberdade de viver vitoriosamente aplicando a Palavra de Deus à sua vida, e deseja ajudar outras pessoas a fazerem o mesmo. Desde sua batalha contra um câncer no seio até as lutas da vida diária, Joyce Meyer fala de forma aberta e prática sobre sua experiência, para que outros possam aplicar o que ela aprendeu às suas vidas.

Ao longo dos anos, Deus tem dado a Joyce muitas oportunidades de compartilhar seu testemunho e a mensagem de mudança de vida do Evangelho. De fato, a revista *Time* a selecionou como uma das mais influentes líderes evangélicas dos Estados Unidos. Sua vida é um incrível testemunho do dinâmico e restaurador trabalho de Jesus Cristo. Ela crê e ensina que, independente do passado da pessoa ou dos erros cometidos, Deus tem um lugar para ela, e pode ajudá-la em seus caminhos para desfrutar a vida diária.

Joyce tem um merecido PhD em teologia pela Universidade Life Christian em Tampa, Flórida; um honorário doutorado em divindade pela Universidade Oral Roberts em Tulsa, Oklahoma; e um honorário doutorado em teologia sacra pela Universidade Grand Canyon em Phoenix, Arizona. Joyce e seu marido, Dave, são casados há mais de quarenta anos e são pais de quatro filhos adultos. Dave e Joyce Meyer vivem atualmente em St. Louis, Missouri.